PARZ

UND DIE LEG

HEILIGEN GRAL

Wolfram von Eschenbach

In seinem Hauptwerk PARZIVAL *(um 1200-1210) verbindet* WOLFRAM VON ESCHENBACH *die christliche Geschichte von Parzivals Suche nach dem Heiligen Gral und die höfische Erzählung von König Artus und dem Ritter Gawan. Vom ungebildeten Jungen im Narrenkleid entwickelt sich Parzival zum höfischen Ritter und dann zum Gralskönig. Sein Lebensweg läuft in vielen Entwicklungsstufen ab, Irrtümer und Schuld, die sich aus dem Konflikt zwischen ritterlich-höfischer und christlicher Welt ergeben, kennzeichnen ihn, bis Parzival am Ende schließlich die Erlösung findet.*
Das Epos ist mehr als ein Ritterroman, es kann auch als philosophisch-religiöser Erziehungsroman verstanden werden. Ritterliche Tugenden, wie das Erleben von „Abenteuern" – diese bedeuten das Bestehen von Zweikämpfen – und der höfische Frauendienst – die Minne – sind aber letztlich weniger wert als die Suche nach dem Gral und damit nach der Gnade Gottes.

La Spiga languages

PERSONEN

Anfortas:	verletzter Gralskönig und Parzivals Onkel
Artus:	legendärer König
Belakane:	die erste, afrikanische Frau von Parzivals Vater Gachmuret
Feirefiz:	Sohn von Belakane und Gachmuret; Parzivals Halbbruder
Gachmuret:	Parzivals Vater, König von Anjou
Gawan:	Ritter von der Tafelrunde des König Artus und Parzivals Freund
Gurnemanz:	Parzivals Lehrmeister
Herzeloyde:	Parzivals Mutter, Königin von Norgals und Waleis
Kardeis und Lohengrin:	Zwillingssöhne von Parzival und Kondwiramur
Kondwiramur:	Parzivals Gemahlin, Königin von Brobarz
Kundry:	Gralsbotin
Parzival:	Ritter auf der Suche nach dem Heiligen Gral
Repanse:	Gralskönigin und Parzivals Tante
Trevrizent:	frommer Einsiedler und Parzivals Onkel

Text, Fußnoten und Übungen Ursula Esterl
Umschlag Johann Kleber
Editing Monika Kopetzky

Wie Parzival zur Welt kommt, im Wald aufwächst und seine Mutter verlässt

Was hier erzählt wird, trug sich vor gut tausend Jahren zu, doch ist es immer wieder neu und wunderbar.

Der fränkische Ritter Gachmuret von Anjou war ruhelos und kampflustig. Er ritt durch ferne Länder, immer auf der Suche nach Abenteuern. So kam er auch zum mächtigsten Herrscher seiner Zeit, dem Baruch von Bagdad, bot ihm seine Hilfe an und besiegte für ihn seinen größten Feind, den Sultan von Babylon. Auf der Rückreise in seine Heimat verschlug ihn ein Seesturm an die Küste eines afrikanischen Landes. Er besiegte die Feinde der dort herrschenden Königin Belakane. Zum Dank bot sie ihm ihr Land und ihre Krone an, wenn er sie heiraten wollte. Der fremde tapfere Ritter mit der weißen Haut und dem hellen Haar gefiel ihr. Da auch Gachmuret sein Herz an die schöne Frau verloren hatte, feierten die beiden Hochzeit. Doch schon nach einem halben Jahr erkannte Gachmuret, dass seine Abenteuerlust größer als seine Liebe war, und er verließ seine junge Frau heimlich eines Nachts. Nur einen Brief ließ er zurück, darin stand: „Wärest du keine Heidin[1], würde ich immer bei dir bleiben. So aber muss ich dich verlassen, allzu groß ist meine Sehnsucht nach dem Land der Christen. Sei mir nicht zu sehr böse. Und wenn Gott unsere Liebe segnet und dir einen Sohn schenkt, so erzähl ihm, dass sein Vater ein Anjou war, das ist ein königliches Geschlecht[2].“

Was half es Belakane, dass sie sich vor Schmerz fast die Augen ausweinte, auch wäre sie gern eine Christin geworden und hätte sich taufen[3] lassen – es war zu spät! Gachmuret kam nicht mehr zurück, und sie sah ihn niemals wieder. Einige Monate später kam ihr Sohn zur

1 **e Heidin:** *keine Christin*
2 **s Geschlecht:** *e Familie*
3 **sich taufen lassen:** *zum Christentum konvertieren*

Welt, seine Haut war schwarz und weiß gefleckt. Sie nannte ihn Feirefiz, das heißt Buntgesicht. Sie küsste ihn immer wieder unter Tränen. Sie ahnte[1], dass er seinen Vater niemals sehen würde.

Gachmuret landete nach einer stürmischen Überfahrt in Spanien. Als er nach Sevilla kam, hörte er die Geschichte von Herzeloyde, der Königin von Norgals und Waleis. Ihr Bräutigam war kurz vor der Hochzeit gestorben. Alle Grafen und Ritter[2] wollten aber, dass sie ihrem Land einen Mann als Herrscher gab. Aus diesem Grund ließ die Königin ein großes Turnier organisieren, bei dem jeder um ihre Hand kämpfen konnte. Den Sieger wollte sie dann zum Mann nehmen. Gachmuret wollte um Herzeloyde werben und ritt auch in die Stadt Kanvoleis zum Turnier. Aus vielen verschiedenen Ländern waren Ritter, Fürsten und auch Könige gekommen.

Am frühen Morgen ritt Gachmuret in die Stadt ein. Er war so prächtig anzuschauen, dass Jung und Alt zusammenlief, um ihn zu bestaunen. Von ihrer Burg[3] aus sah auch Herzeloyde den schönen Ritter kommen und als Gachmuret zu ihr aufblickte, durchzuckte es sie wie ein Blitz und sie wünschte, dass er alle anderen besiegen würde. Ihr Wunsch ging in Erfüllung, und noch bevor die Sonne sank, hatte er alle besiegt. Glückstrahlend begrüßte ihn Herzeloyde und bot ihm Hand und Land an. Gachmuret warnte sie aber: „Ich wünsche nichts mehr als dies. Doch müsst Ihr wissen, dass schon einmal eine Frau versuchte mich zu halten – es gelang ihr nicht, wie sehr sie mich auch liebte, es zog mich zu neuen Abenteuern. Nun bin ich bei Euch, Frau Herzeloyde, doch wie lange ich bei Euch bleibe, das weiß ich nicht.“ „Bleibt, solang es Euch gefällt“, entgegnete sie voll unterdrückten Schmerzes. „Und rufen Euch neue Kämpfe von meiner Seite fort, will

1 **ahnen:** *vermuten, denken*
2 **r Ritter:** *Kämpfer zu Pferd*
3 **e Burg:** *s Schloss*

ich Euch lachenden Auges ziehen lassen." Sie hoffte jedoch sehr, den Ritter an sich binden zu können. Die Hochzeit wurde mit großer Pracht gefeiert und an alle Gäste wurden kostbare Geschenke verteilt. Gachmuret war nun König über drei Reiche: Anjou, Norgals und Waleis.

Doch auch diesmal dauerte das Glück nicht länger als ein halbes Jahr. Boten[1] des Baruch von Bagdad baten Gachmuret, ihrem Herrn zu helfen. Der Ritter folgte dem Ruf. Wie sie es am Tag der Hochzeit versprochen hatte, weinte Herzeloyde keine Träne beim Abschied. Kaum hatte ihr Mann sie jedoch verlassen, brach sie ohnmächtig[2] zusammen. Einige Wochen später hatte sie einen schrecklichen Traum: Ein Drache riss ihr das Herz aus der Brust. Nach dem Erwachen führten sie ihre Frauen ans geöffnete Fenster, da sah sie, wie der Lieblingsknappe[3] ihres Mannes allein und mit gesenktem Kopf durch das Tor kam. Sofort wusste sie, was das zu bedeuten hatte: Gachmuret war tot, fern von ihr im fremden Land gefallen. „Ach", jammerte sie, „er war mein ganzes Glück! Nun ließ er mich allein. Am liebsten gäbe ich mir selbst den Tod, doch darf es nicht sein, denn ich trage ein Kind unter dem Herzen, Gachmurets Kind. Um seinetwillen darf ich nicht sterben."

Als das Kind, eine kräftiger Knabe[4], der seinem Vater zu ähneln schien, geboren war, kamen alle herbei. „Er wird sicher auch ein großer Held werden!", sagten alle, die ihn sahen. Man brachte den Knaben ans Bett der Mutter und fragte sie, auf welchen Namen man das Kind taufen sollte. Sie sagte: „Er heißt Parzival." Über diesen Namen wunderten sich alle. Wenn aber Herzeloyde mit ihm allein war, beugte sie sich immer mit heißen Tränen über ihn und flüsterte: „Mein gutes

1 **r Bote:** *r Überbringer einer Nachricht*
2 **ohnmächtig:** *ohne Bewusstsein*
3 **r Lieblingsknappe:** *r liebste Diener eines Ritters*
4 **r Knabe:** *r Junge*

Kind, mein liebes Kind, mein schönes Kind!" So nannte sie ihn immer wieder, auch als er schon heranwuchs. Seinen richtigen Namen verschwieg sie ihm.

Als Parzival die ersten Schritte tun konnte, überließ Herzeloyde die drei Reiche, deren König Parzival einmal werden sollte, treuen Grafen. Sie selbst zog sich mit geringer Dienerschaft in den Wald, weit entfernt von allen anderen Menschen, zurück. Sie wollte nicht, dass Parzival auch die Welt kennen lernen wollte und in die Ferne ziehen würde wie sein Vater. Sie verbot ihren Dienern bei Strafe dem Kind irgendetwas von Rittern zu erzählen. „Nie soll mein Kind erfahren, was eine Burg ist, was eine Rüstung[1], ein Helm oder ein Speer, Schwert oder Schild[2] sind! Erfährt er es eines Tages, so wird ihn seines Vaters Blut dazu bringen, mich zu verlassen und irgendwo in der Fremde zu sterben." Alle wohnten gemeinsam in einem einfachen Bauernhaus und Parzival wuchs heran wie ein Hirtenknabe oder ein Jäger. Der Wald war seine Heimat.

Von Jahr zu Jahr wurde der Knabe schöner und edler. Jeden Morgen wusch er sich im Bach und kannte weder Sorgen noch Leid. Nur beim Gesang der Waldvögel im Mai erfüllte ein großes Sehnen[3] seine Brust, aber er wusste nicht, wonach er sich sehnte. Er erzählte seiner Mutter von den Gefühlen, die der Gesang der Vögel in ihm weckte. Herzeloyde erklärte ihm: „Die Vöglein müssen so süß und lieblich singen, weil Gott sie so schuf!" „Was ist das: Gott?", fragte Parzival. „Das ist nicht so leicht zu sagen. Gott ist noch heller als der Tag und strahlender als die Sonne. Er ist mächtiger als der mächtigste König auf Erden. Er nahm sogar einmal Menschengestalt an und kam hierher auf die Erde um uns zu retten. Fleh ihn an, wenn du in Not gerätst. Sei treu und standhaft, was immer dir auch geschieht, so wird er dir beistehen." Von

1 **e Rüstung:** *gepanzerte Kleidung eines Ritters*
2 **r Speer, s Schwert, r Schild:** *Waffen eines Ritters*
3 **s Sehnen:** *starker Wunsch nach etwas*

diesem Tag an sprach Herzeloyde oft mit Parzival und lehrte ihn Gut von Böse zu unterscheiden.

Eines Tages, als Parzival durch den Wald lief, um Wild zu jagen, hörte er plötzlich Hufschlag[1] und das Wiehern eines Pferdes. Er sah sich um und bemerkte vier prächtig gerüstete Ritter, die auf ihn zukamen. Parzival hatte noch nie so herrlich gekleidete Männer gesehen. Er starrte mit offenem Mund auf die silberglänzenden Rüstungen, die Helme und die Schwerter. „Die sind alle vier heller als der Tag", dachte Parzival. „Ein jeder von ihnen muss Gott sein!" Er kniete nieder, faltete die Hände und rief: „Hilf, Gott, du allein kannst helfen! Steh mir bei!" „Ich bin nicht Gott", antwortete der Ritter. „Ich diene ihm nur. Hast du noch nie einen Ritter gesehen?" Parzival schüttelte den Kopf: „Was ist das: Ritter? Und wie wird man einer? O sagt mir, was ich tun soll, damit ich auch einer werde!" Der Ritter lächelte. Er und die drei anderen gehörten zum Gefolge des großen Königs Artus, der mit seiner Tafelrunde durch das Land ritt und in verschiedenen Städten seines Reiches einige Zeit verbrachte. Er und seine Leute sahen in den vielen waldreichen und wilden Gegenden nach dem Rechten. So antwortete er: „Da musst du schon zu König Artus wandern. Nur er kann dich zum Ritter machen, und du siehst so aus, als ob du wirklich einmal einer werden würdest, wie ungebildet du jetzt auch noch bist." Schweigend sah er auf Parzival nieder und bewunderte dessen Schönheit. Dann gab er ihm sein langes Schwert. Parzival betrachtete die Waffe mit leuchtenden Augen. Der Ritter sprach weiter: „Mit solch einem Schwert musst du kämpfen, wenn du einmal ein Ritter bist. Noch kannst du mit deiner Schönheit nichts anfangen, weil dir der Verstand[2] fehlt. Wenn du diesen erwirbst, wirst du ein vollkommenes Leben haben!" Die anderen Ritter hatten genug von

1 **r Hufschlag:** *Geräusche von Pferden*
2 **r Verstand:** *s Wissen, e Intelligenz*

dem Jungen, der Anführer nahm Parzival das Schwert wieder weg und alle vier ritten durch den Wald davon.

Parzival sah ihnen lange nach. Erregt[1] lief er zu Herzeloyde und rief: „Mutter, Mutter, ich werde ein Ritter – gib mir Schwert und Schild!“ Die Königin erschrak so sehr bei diesen Worten, dass sie zuerst kein Wort herausbrachte und sich setzen musste. Als sie sich wieder etwas gefasst hatte, fragte sie: „Wer hat dir gesagt, dass es Ritter gibt?“ „Niemand! Im Wald sind mir vier begegnet. Gott selbst kann nicht heller strahlen als sie!“ „O Kind, du weißt nicht, wie weh du mir tust“, weinte sie. Parzival verstand ihre Trauer nicht: „Es ist doch nichts Schlechtes, wenn ich ein Ritter werde! In glänzender Rüstung werde ich durch die Länder reiten. O Mutter, gib mir Waffen, noch heute will ich mich aufmachen und König Artus suchen, der kann mich zum Ritter machen!“ Diese Worte schnitten der Königin wie ein Messer ins Herz. Aber sie sagte: „Du sollst deinen Willen haben, lieber Sohn. Doch bleib noch diese eine Nacht bei mir, damit ich dir ein paar gute Lehren auf den Weg mitgeben kann. Die Welt ist weit und voll Gefahren. Morgen früh werde ich dich dann ritterlich ausrüsten.“ Als es Abend wurde, saß Parzival bei seiner Mutter und hörte ihr zu. „Ziehst du allein durch wilde Wälder, so such immer die klaren Stellen, wenn du einen Fluss überqueren möchtest. Begegnet dir jemand, so grüß ihn freundlich. Wenn du einen alten Mann mit grauem Haar triffst, so freue dich, wenn er dir etwas sagt. Er kennt die Welt besser und weiß mehr als du. Wo du von einer edlen Frau durch Minnedienst[2] einen Ring erwerben kannst, dort greif zu, es bringt Ehre. Wenn sie dir sogar die Lippen zum Willkommen bietet, so küss sie, denn so wollen es die guten Sitten[3].“ Parzival hörte aufmerksam zu und merkte sich alles.

1 **erregt:** *aufgeregt*
2 **r Minnedienst:** *Dienst für eine edle Dame*
3 **die guten Sitten:** *s gute Benehmen*

Während der Nacht legte ihm Frau Herzeloyde ein Narrengewand[1] und eine Narrenmütze mit vielen Schellen zurecht. Dazu noch grobe Bauernstiefel und einen kleinen, plumpen Spieß, mit dem man normalerweise im Wald Wildschweine töten konnte. Das sollte Parzivals Ritterkleidung und Waffe sein. „Ich will ihn als Narren reiten lassen, da werden ihn die Leute schon auslachen und die Lust wird ihm vergehen, ein Ritter zu werden. Vielleicht kehrt er dann zurück. Ich will mein Kind nicht auch noch verlieren!"

Parzival gefiel die Kleidung sehr gut, er zog sie an und meinte, dass er nun bereits wie ein Ritter aussah. Auch das alte, langsame Pferd machte ihm Freude. Er umarmte Frau Herzeloyde und ritt aus dem Hoftor hinaus. Ein letztes Mal noch winkte er zurück: „Weine nicht, liebe Mutter, bald siehst du mich in Glanz und Herrlichkeit!" Sie lief ihm ein paar Schritte nach: „Da reitet er hin! Wann kommt er wieder? O, nie mehr!" Und als sie Parzival nicht mehr sehen konnte, zerriss ihr der Schmerz das Herz. Sie fiel nieder und war tot.

Wie Parzival seinen Namen erfährt und die Rüstung des roten Ritters gewinnt

Parzival ritt über Stock und Stein aus dem Wald hinaus. Er wollte zu König Artus. Dieser sollte ihn zum Ritter schlagen. Er befolgte die Ratschläge seiner Mutter: Er überquerte die Flüsse nur an klaren Stellen und grüßte jeden, egal ob es ein Bauer, ein Knecht oder ein Vagabund war. Die Leute lachten ihn aus und die Jungen liefen hinter ihm und seinem lahmen Pferd her und verspotteten[2] ihn. Der naive Parzival aber dachte, dass er mit seinem bunten Narrengewand wie ein fahrender Ritter aussah.

1 **s Narrengewand:** *Kleidung für einen komischen Menschen*
2 **verspotten:** *auslachen*

Eines Tages kam er an einen klaren Bach. Da dieser jedoch im Schatten floss, hielt er ihn für trüb, und obwohl der Bach so schmal war, dass er ihn leicht mit einem Schritt hätte überqueren können, ritt er die ganze Nacht durch auf seiner Seite weiter. Erst am Morgen fand er eine klare Stelle und ritt hinüber. Wenig später kam er auf eine Lichtung[1] und sah dort ein prächtiges Zelt. Er ritt näher und stieg vom Pferd, dann betrat er das Zelt. Dort fand er eine schöne, schlafende Frau. Das war Jeschute, die Ehefrau des streitsüchtigen Herzogs Orilus. Parzival betrachtete sie eine Zeit lang und dachte: „Das ist bestimmt eine edle Frau!" Dann sah er den Ring an ihrem Finger und erinnerte sich an den Rat seiner Mutter: „Wenn du von einer edlen Frau einen Ring erwerben kannst, so greif zu, es bringt Ehre!" Also schlich er sofort zu der Schlafenden und zog ihr den Ring vom Finger. Zu Tode erschrocken erwachte Jeschute und schrie auf. Parzival aber umfing sie mit beiden Armen und schloss ihr den Mund mit einem Kuss. „So lehrte es mich die Mutter", sagte er. Jeschute wehrte sich gegen den fremden Knaben. Dabei wurde eine goldene Spange[2] von ihrem Hemd abgerissen und fiel zu Boden. Parzival hob sie auf und steckte sie ein. „Um Gottes willen, was willst du von mir?", fragte die junge Frau entsetzt. „Gib mir zu essen, ich habe Hunger", antwortete Parzival. Jeschute zeigte ihm einen Tisch mit Speisen in der Ecke und der Junge stürzte sich darauf. Er aß Brot und zwei Hühnchen und zuletzt schüttete er auch noch den ganzen Wein in sich hinein. Jeschute hatte große Angst, sie wünschte sich nur, dass dieser Narr endlich ihr Zelt verlassen würde. „Nun hast du gegessen und getrunken, gib mir jetzt meinen Ring und meine Spange und verschwinde! Wenn mein Gatte kommt und dich hier findet, wird es uns schlecht ergehen!" Parzival erwiderte: „Ich fürchte mich nicht,

1 **e Lichtung:** *Wiese im Wald*
2 **e Spange:** *hält die Kleidung zusammen*

aber um dir Ärger zu ersparen, will ich gern weiterreiten. Gott, behüte Euch – so lehrte es mich die Mutter." Mit diesen Worten verließ er das Zelt, den Ring aber behielt er, da konnte die Herzogin bitten, so viel sie wollte.

Bald darauf kam der Herzog von der Jagd zurück. Als Jeschute ihm die Geschichte erzählte, wurde er sehr zornig und schimpfte mit ihr: „Was für ein ehrloses Weib habe ich! Während ich denke, dass du schläfst, unterhältst du dich mit einem fremden Burschen[1], isst und trinkst mit ihm, schenkst ihm deinen Schmuck[2] und lässt dich sogar von ihm küssen. O Schande! Aber warte, ich werde dich bestrafen!" Die Herzogin weinte und schwor, dass sie unschuldig war, aber Orilus verstieß[3] sie. Nur mit einem einfachen Hemd bekleidet musste sie von nun an auf einem alten, lahmen Pferd hinter ihm herreiten. Herzog Orilus machte sich sofort auf die Suche nach Parzival.

Von all dem ahnte Parzival nichts und ritt weiter durch den Wald. Da hörte er plötzlich das Weinen einer Frau. Vor einem Felsen sah er das edle Fräulein Sigune sitzen, in ihrem Schoß[4] lag ein erschlagener Ritter. Das war Sigunes Bräutigam, ein schöner, noch junger Mann. Parzival blieb stehen und fragte: „Wer erschlug diesen edlen Ritter? Gern würde ich mit dem Mörder kämpfen und ihn rächen, sag mir nur, wer es war!" Sigune sah auf: „Du musst ein gutes Herz haben, wenn dich der Tod eines anderen so traurig macht. Wer bist du?" Parzival dachte nach: „Ich bin meiner Mutter Sohn, Namen habe ich keinen. Meine Mutter rief mich immer: 'Mein liebes Kind, mein gutes Kind, mein schönes Kind'." Da leuchteten Sigunes Augen trotz ihrer Trauer auf: „So kann auf der Welt nur eine Frau ihr Kind nennen, meine Tante

1 **r Bursche:** *r junge Mann*
2 **r Schmuck:** *z.B. Ringe, Ketten*
3 **verstoßen:** *forttreiben*
4 **r Schoß:** *s weibliche Becken*

Herzeloyde. Nun weiß ich auch, wie du heißt: Parzival bist du getauft, der Name bedeutet 'Mittendurch'!" Parzival freute sich, dass er endlich seinen richtigen Namen wusste. Er fragte: „Wenn ich 'Mittendurch' heiße, soll ich mein ganzes Leben lang mittendurch reiten?" „So ist es. Unbeirrt[1], weder links noch rechts schauend, sollst du dein Ziel verfolgen!" „Ich weiß schon, was mein Ziel ist! Ich muss zu König Artus gelangen. Aber sag mir zuvor, wer den jungen Mann erschlug!" „Hör Parzival", sagte Sigune ernst. „Du bist Erbe von drei Reichen: Norgals und Waleis sind die Länder deiner Mutter und Anjou war deines Vaters Königreich. Während deine Mutter mit dir im Wald lebte, raubten[2] dir treulose Herzöge zwei deiner Länder. Einer von diesen Räubern ist Herzog Orilus. Er war es auch, der diesen Ritter erschlug. Dieser tote Mann hier war mein Bräutigam, aber auch dein treuer Untertan. Er hat dich immer als seinen Herrn anerkannt und dein Erbe gegen alle Feinde verteidigt. Er starb für dich, mein Parzival!" Der Knabe im Narrenkleid freute sich sehr, als er hörte, dass er ein Königssohn war. Der Tod des treuen Ritters schmerzte ihn tief, daher bat er: „Zeig mir den Weg, auf welchem ich Herzog Orilus begegnen kann. Ich will dich und mich an ihm rächen." Doch Sigune fürchtete, er könnte auch sein Leben verlieren, daher zeigte sie ihm einen anderen Weg.

Bald kam Parzival aus dem Wald heraus. Vor ihm floss ein großer Strom[3] und am anderen Ufer sah er eine große Stadt mit vielen Türmen. Schon dachte er nicht mehr an den toten Ritter. Bei einem armen Schiffer[4] verbrachte er die Nacht. Er schenkte ihm Jeschutes Spange zum Lohn. Nach dem Essen fragte Parzival, ob ihm der Schiffer den Weg zu König Artus zeigen könnte. Dieser antwortete:

1 **unbeirrt:** *ohne zu zögern*
2 **rauben:** *stehlen, wegnehmen*
3 **r Strom:** *ein großer Fluss*
4 **r Schiffer:** *Mann, der andere über den Fluss bringt*

„Nichts leichter als das. Morgen früh will ich Euch über den Strom rudern. Die Stadt dort drüben ist Nantes. Dort hält König Artus gerade Hof. Ihr findet die ganze Tafelrunde[1]!" Über diese Nachricht freute sich Parzival sehr.

Am nächsten Morgen brachte der Schiffer ihn und sein lahmes Pferd über den Fluss. Parzivals Herz schlug vor Freude, dass er nun endlich zu König Artus kommen und ein Ritter werden sollte. Er ritt der Stadt zu, als plötzlich ein Ritter in feuerroter Rüstung mit einem Kelch[2] unter dem Arm auf ihn zu galoppierte. Er blieb stehen und grüßte den schönen Knaben. Parzival erzählte, dass er auf der Suche nach König Artus sei. Der rote Ritter erwiderte: „Ich komme gerade von seiner Tafelrunde. Diesen Becher raubte ich von seinem Tisch und begoss dabei das Kleid der Königin Ginover mit rotem Wein. Ich fordere vom König die Herrschaft über ein Land, das mir durch Erbschaft gehört. Man will es mir nicht geben. Reite in die Stadt und melde dem König, dass ich hier vor dem Tor mit dem Kelch in der Hand warte, bis Herrn Artus' Ritter kommen, um es zurückzuholen. Ich bin kein Dieb, aber ich will gegen jeden seiner Ritter so lange siegreich kämpfen, bis ich mein Recht bekomme. Willst du diese Nachricht für mich überbringen, mein schöner Knabe?" Parzival sagte gerne zu und ritt durch das Stadttor. Schließlich hielt er auf dem Hof der Königsburg. Viele Menschen standen um ihn herum und lachten ihn aus. Der Knappe Iwanet half Parzival von seinem Pferd und fragte ihn nach seinem Wunsch. Dann begleitete er ihn in den Saal, wo die Tafelrunde war. Parzival war geblendet von dem Glanz der vielen herrlich gekleideten Ritter und schönen Frauen, die da mit König Artus zu Tisch saßen. „Ich habe eine Botschaft[3] für König Artus", sagte er nach

1 **e Tafelrunde:** *Ritter des König Artus*
2 **r Kelch:** *ein Trinkgefäß*
3 **e Botschaft:** *e Nachricht*

einer Weile, während der alle Anwesenden bewundernd auf den schönen, aber seltsam gekleideten Gast blickten. „Doch sagt mir bitte, wer ist hier der König? Ich sehe hier so viele Artusse, dass ich nicht weiß, welcher der richtige ist!" Über diese Worte lachten alle Ritter und lächelten die Damen. König Artus wandte sich nun selbst an den Jungen und fragte nach seiner Botschaft. Parzival erzählte, was der rote Ritter ihm aufgetragen hatte. Empört[1] sprangen die Ritter von ihren Sitzen auf und riefen nach ihren Waffen. Doch Parzival hob die Hand und bat den König mit lauter Stimme: „Lasst mich mit dem roten Ritter kämpfen, ich bitte Euch! So weit bin ich geritten, damit Ihr mich zum Ritter schlagt – wie könnte ich meinen Wert besser beweisen als durch einen Sieg?" Voll Sorge schaute König Artus auf den schönen Knaben im Narrenkleid. Parzivals kühner[2] Wunsch gefiel ihm. Er sagte: „Ich werde dich zum Ritter schlagen, wenn du mir lange genug als Page und Knappe gedient hast. So von heute auf morgen geht das nicht. Der rote Ritter, Herr Ither von Gahevies, ist ein mächtiger, noch unbesiegter Held. Es täte mir sehr Leid, dich von seiner Hand sterben zu sehen. Du bist noch zu jung. Bleib lieber hier, es wäre dein Tod." Doch Parzival bat so lange, bis ihm der König die Erlaubnis gab. „So streite als Erster mit Herrn Ither. Fällst du, sind noch genug andere da, die dich rächen können."

Der Knappe Iwanet begleitete ihn bis ans Stadttor. Parzival ritt weiter zum kampfbereiten Ritter und sagte: „König Artus hat mir deine rote Rüstung geschenkt und dein Pferd dazu. Sei so freundlich und gib mir beides!" Der rote Ritter war überrascht: „Ich hätte nicht gedacht, dass mein Bote als mein Feind wiederkommen würde! Wenn dir Herr Artus meine Rüstung schenkt, so hat er dir wohl auch mein Leben geschenkt. Du hast schnell

1 **empört:** *verärgert, voll Zorn*
2 **kühn:** *mutig*

Freundschaft mit dem König geschlossen. Wahrscheinlich kennt er dich und deine Familie schon länger!" Parzival sagt ungeduldig: „Schweig! Lass die vielen Worte und gib mir deine Rüstung. Ich brauche sie noch heute! Ich mag nicht lange als Page und Knappe dienen – auf der Stelle will ich Ritter sein!" Da packte Herrn Ither der Zorn[1] und er begann mit seiner Lanze gegen Parzival zu kämpfen. In blinder Wut warf Parzival seinen Spieß gegen den Gegner und traf genau durch den Sehschlitz[2] von Herrn Ithers Helm. Blutüberströmt fiel der rote Ritter von seinem Pferd und rührte sich nicht mehr. – Sein Tod wurde von vielen Männern und Frauen bitter beweint, denn er war ein großer Held gewesen.

Parzival aber wusste nichts davon, stürzte sich auf den Gefallenen und versuchte ihm die Rüstung auszuziehen. Der Knappe Iwanet, der vom Stadttor aus alles beobachtet hatte, kam ihm zu Hilfe. Er forderte Parzival auf, sein Narrenkleid auszuziehen, aber dieser weigerte sich. „Nein, was mir die Mutter angezogen hat, das gebe ich nicht her. Das Kleid der Mutter ist mir heilig, auch wenn ich eine Ritterrüstung habe." So musste ihm der Knappe die Rüstung über sein Narrengewand anziehen. Zuletzt zeigte er Parzival, wie er mit Herrn Ithers Schwert umgehen musste, und der Junge war ein guter Schüler. Nun stieg Parzival auf das wunderschöne, feurige Pferd des Toten und sagte zu Iwanet: „Danke für deine Hilfe. Geh und grüße König Artus von mir. Bring ihm den Becher und melde, was hier geschehen ist. Ich habe erreicht, was ich wollte. Ich trage ein ritterliches Gewand und werde nun auf Abenteuer[3] ausziehen. Wenn ich berühmt bin, komme ich wieder. Gott schütze dich, so lehrte es mich die Mutter." Mit diesen Worten nahm er Abschied von Iwanet und ritt fort. Der Knappe aber ging zurück zur

1 **r Zorn:** *e Wut, r Ärger*
2 **r Sehschlitz:** *kleine Öffnung im Helm*
3 **s Abenteuer:** hier *ritterliche Zweikämpfe*

Tafelrunde und erzählte alles. Da weinten viele Männer und Frauen: „Nur weil ein junger Dummkopf seine Rüstung wollte, musste Herr Ither sein Leben verlieren. Wie wird der Knabe seine Tat bereuen, wenn ihm einmal der Verstand kommt!" Sie zogen hinaus vor das Stadttor und beweinten den Toten mit heißen Tränen, vor allem die Königin wollte sich nicht mehr beruhigen. Dann trugen sie den Toten feierlich zu Grabe.

Wie Parzival seinen Lehrmeister Gurnemanz findet und wahre Rittertugend lernt

In der Zwischenzeit ritt Parzival auf Herrn Ithers Pferd durch das Land. Er hatte nie reiten gelernt und so ließ er das arme Tier fast die ganze Zeit galoppieren. Es war ein so gutes und edles Pferd, das auch diese schlechte Behandlung aushielt. Gegen Abend sah er in der Ferne eine schöne Burg. Er ritt auf sie zu und erreichte sie, als die Sonne gerade unterging. Vor der Burg saß ein grauhaariger Ritter auf einer Steinbank. Es war Herr Gurnemanz, der Fürst des Landes, und seine Burg hieß Graharz. Er war ein sehr weiser Mann, der in Ehren alt geworden war und viel von der Welt gesehen hatte. Er sah Parzival zuerst sehr kritisch an, bevor er freundlich zurückgrüßte. Parzival neigte seinen Kopf und sprach: „Meine Mutter sagte, ich solle bei ergrauten[1] Männern Rat holen. Wollt Ihr mein Lehrmeister sein? Ich will Euch gern dafür dienen." Gurnemanz erhob sich: „Wenn du meinen Unterricht wünschst, musst du vor allem zu mir Vertrauen haben und alles tun, was ich dir sage. Versprichst du mir das, so will ich dir die ritterlichen Sitten lehren." Parzival versprach es.

Gurnemanz winkte seine Knappen herbei, die Parzival vom Pferd heben mussten und ihm helfen sollten, seine

1 **ergraut:** *mit grauem Haar*

Rüstung auszuziehen. Parzival war so stolz auf sein Pferd und seine Waffen, dass er nichts davon wissen wollte und immer nur sagte: „Gott grüß Euch, so lehrte es mich die Mutter! Aber Pferd und Rüstung hat mir ein König geschenkt – ich steige nicht ab und Ihr dürft mich nicht entkleiden." Dann grüßte er wieder, sehr artig[1], wie es ihm die Mutter gesagt hatte. Die Knappen dankten ihm so höflich und ernst wie möglich. Sie konnten sich das Lachen kaum verbeißen. Endlich brachten sie ihn doch vom Pferd und waren sehr verwundert, als sie unter seiner Rüstung die Narrenkleider entdeckten. So etwas hatten sie noch nie erlebt. Daher liefen sie zu Gurnemanz und meldeten es ihm. Dieser kam nun selbst in den Hof und befahl Parzival diese Kleidung auszuziehen. Da sah er auch die Wunde[2], die Herr Ither Parzival zugefügt hatte. Er ließ ihn verbinden und dann musste ihm der junge Mann alles erzählen, was er bisher erlebt hatte. Die Nachricht von Herrn Ithers Tod machte ihn traurig: „Sein Tod macht dir Ehre, junger Narr, mir und den anderen aber viel Kummer. Man nannte Herrn Ither den roten Ritter. Du sollst jetzt diesen Namen tragen, erweise dich als würdig[3]!"

Dann ließ er Parzival prächtig, doch bequem kleiden und führte ihn zu Tisch. Er aß mit ihm aus einer Schüssel und trank aus einem Becher mit ihm. Parzivals guter Appetit gefiel ihm. Der Junge hatte ja seit dem Morgen nichts mehr gegessen.

Bei Sonnenaufgang holte Gurnemanz seinen Schüler bereits zur Frühmesse in der Burgkapelle ab. Dann setzten sie sich an einen stillen Platz und Gurnemanz gab ihm viele gute Ratschläge. „Ich sehe, dass du Unterricht sehr nötig hast. Du bist noch in allem ein wildes Kind und deine Seele ist ein ungeschliffenes Juwel. Nicht nur Kraft, Mut und Geschicklichkeit im Zweikampf machen

1 **artig:** *gut erzogen, höflich*
2 **e Wunde:** *e Verletzung*
3 **würdig:** *der Ehre wert*

den wahren Ritter aus, sondern vor allem edle Sitten und Tugend des Herzens. Darum höre, was ich jetzt sage: Sprich nicht immer von den Ratschlägen deiner Mutter, das wirkt kindisch und unreif. Zweitens: Meide[1] böse Taten, denn was nützt dir deine Schönheit, solange deine Empfindungen unedel sind? Drittens: Du sollst den Armen immer helfen. Wo du Not siehst, musst du helfen und lass keinen Bettler ohne eine Gabe weiterziehen. Geiz ist ebenso schlecht wie Geldverschwenden. Beides macht ein wahrer Herr nicht! Du aber scheinst einmal ein Führer vieler Völker zu werden, darum lerne, in allem Maß zu halten[2]. Deshalb sollst du auch einem besiegten Gegner, der sich mit seinem Ehrenwort ergibt, das Leben schenken, falls er nichts getan hat, was das Herz zerbricht. Es bringt keine Ehre, einen Wehrlosen[3] zu töten! –

Viertens rate ich dir: Frag nicht so viel! Lerne lieber, die richtige Antwort zu geben, wenn dich jemand etwas fragt. Sei aufmerksam und schlaf nicht mit offenen Augen, es gibt viel zu lernen auf der Welt. Schließlich merke dir, dass man sich nach jedem Kampf wäscht, darauf achten edle Frauen. Ihre Gesellschaft aber sollst du suchen, denn sie verfeinern die Sitten und das Benehmen und erhöhen so eines Ritters Wert. Gewinnst du eines Tages die Liebe einer Frau, so halte Hochzeit mit ihr und bleib ihr dein Leben lang treu. Untreue und Lügen bringen einem Ritter nur Schande[4]. Wenn du aber in allen Dingen treu bist, so ist dir der Lohn des Himmels sicher!“

Aufmerksam hatte Parzival zugehört. Nun schickte ihn Gurnemanz mit seinen Rittern und Knappen auf den Turnierplatz, damit sie im Kampf ihre Kräfte messen konnten. Niemand kam gegen Parzival an und alle bewunderten seine Kraft und Geschicklichkeit.

1 **meiden:** *aus dem Weg gehen, nicht machen*
2 **Maß halten:** *sich angemessen, korrekt benehmen*
3 **r Wehrlose:** *ein besiegter Gegner ohne Waffe*
4 **e Schande:** *e Beschämung, e Entehrung*

Am Abend erwies Gurnemanz Parzival eine besondere Ehre. Er rief seine Tochter Liasse zu Tisch. Sie musste sich neben Parzival setzen und ihm die besten Bissen[1] auf dem Teller vorschneiden. Auch musste sie mit ihm aus einem Becher trinken, was sie nicht ohne Erröten tat. Parzival ließ sich das gern gefallen und bewunderte still die Schönheit und den Liebreiz des Mädchens. Schneeweiß war ihre Haut, doch wie zwei Rosen erblühten ihre Wangen. Blond wie Parzivals Locken war auch Liasses Haar und überaus fein ihr Benehmen. Nachdem sie ihre Schüchternheit überwunden hatten, plauderten[2] sie vergnügt. Gurnemanz gefiel das junge Paar sehr gut. Nach dem Essen verabschiedete sich Liasse höflich von ihren Tischgenossen und verließ den Saal.

Vierzehn Tage verbrachte Parzival auf der Burg. Jeden Tag erteilte ihm Gurnemanz neue Lehren, täglich verbesserte er sich im Kampf und auch reiten konnte er nun nach allen Regeln der Kunst. Mit den Narrenkleidern war auch seine Dummheit immer mehr von ihm abgefallen und er war zum jungen Mann gereift. Am Morgen des fünfzehnten Tages trat er plötzlich vor seinen Lehrmeister: „Lieber Meister, gebt mir Urlaub[3]. Ich will mich in der Welt umsehen und nach Heldenehre streben." Gurnemanz wurde sehr traurig und sprach: „Dein Mut erfreut mich, aber er macht mich auch traurig. Drei Söhne hatte ich, alle drei verlor ich im Kampf, nun verlier' ich in dir den vierten. Gern hätte ich dir mein teuerstes Gut, mein Kind Liasse, zur Frau gegeben. Nun ist mir auch dieser Trost meines Alters versagt. Doch es heißt: 'Wem Hohes gelingen will, der muss nach Hohem streben', so will ich dich nicht halten und deinem Mut im Weg stehen." Dankbar neigte Parzival den Kopf: „Herr, ich fühle mich für diese Welt noch nicht weise

1 **r Bissen:** hier *zerkleinertes Stück Fleisch*
2 **plaudern:** *sich unterhalten*
3 **Urlaub geben:** hier *ziehen lassen*

genug und unwürdig, Eure Tochter zu beschützen. Seid nicht traurig über meinen Abschied, ich will Euch überall, wohin ich komme, Ehre machen." Nach diesen Worten umarmte er seinen Lehrherrn, grüßte alle Ritter und Knappen und setzte sich auf sein Pferd. Ohne sich noch einmal umzublicken, ritt er davon. Vom Fenster ihres Zimmers sah ihm Liasse mit Tränen in den Augen nach.

Wie Parzival die Stadt Pelrapeire aus arger Not erlöst und sich mit Königin Kondwiramur vermählt[1]

Parzival ritt und ritt, seine Gedanken waren noch bei Gurnemanz und der schönen Liasse. Der Weg war steil und gefährlich, Parzival musste über eine Passhöhe reiten. Nach langem Ritt über den Berg kam er endlich wieder in eine bewohnte Ebene. Er erfuhr, dass er im Königreich Brobarz war. Im Abendlicht sah er die Türme der Burg und Hauptstadt Pelrapeire glänzen. Die Wächter öffneten ihm das Stadttor erst, als er sagte, dass er als Freund komme und nur eine Nacht in der Stadt verbringen wollte. Dann führten sie ihn zu Königin Kondwiramur. Dieser seltsame Name bedeutete: „Ich führe dich zur Liebe".

Die Stadt war seltsam. Alle Bewohner waren blass und mager, die Knochen zeichneten sich unter der Haut ab, auf dem ersten Blick konnte jeder sehen, dass gerade eine große Hungersnot[2] herrschte. Im Burghof wurde Parzival höflich empfangen, er ließ sich entwaffnen und wusch sich im Brunnen. Dann führten ihn zwei Fürsten, die Onkel der Königin, zu Kondwiramur.

Als er vor ihr stand, war er entzückt. Sie sah aus wie die schöne Liasse. Weißer als frisch gefallener Schnee war ihr zartes Gesicht, wie Rosen blühten ihre Wangen, als sie Parzival ansah. Die übrigen Personen im Saal bewunder-

1 **sich vermählen:** *heiraten*
2 **e Hungersnot:** *lange Zeit ohne Nahrung*

ten das Paar, das ihnen schöner erschien als das Licht der Sonne oder ein Garten im Frühling. Parzival grüßte die Königin stumm[1], diese neigte ebenfalls wortlos den Kopf und lud ihn mit einer Geste zum Sitzen ein. Das Glück über Kondwiramurs Ähnlichkeit mit Liasse ließ Parzival verstummen. Die Königin war verwirrt und dachte, dass er nicht mit ihr sprechen wollte, weil sie so mager war. Dann erinnerte sie sich, dass sie als Gastgeberin[2] die ersten Worte sagen sollte: „Ich habe gehört, dass ihr von meinem Onkel Grunemanz und meiner Cousine Liasse kommt. Noch nie zuvor hat jemand in einem Tag das Gebirge überquert! Nun hört, welches Unglück uns getroffen hat. Der Hunger quält[3] uns schon so lange. Es ist ein unfrohes Land, Herr Parzival, in das ihr kamt. Wollt ihr unser schlimmes Schicksal teilen? Wir bereiten Euch gerne mit unseren letzten Vorräten ein festliches Mahl zu, doch morgen sind wir am Ende!“ „Wer brachte Euch in solche Not?“, wollte Parzival wissen. Kondwiramur seufzte: „Das tat König Klamide, der mich heiraten will, obwohl ich ihn nicht liebe. Er hat den Ritter Kingrun vorausgeschickt, der uns die Lebensmittelzufuhr abschneidet. Er kommt jeden Morgen mit seinem Heer zur Stadt, um sie zu erobern[4]. Bisher konnten sich meine Leute wehren – aber wie lange noch? Viele sind schon vor Hunger gestorben.“ „So will ich Euch sofort helfen“, sagte Parzival entschlossen. Er befahl, die letzten Nahrungsvorräte unter allen zum Kampf fähigen Männern zu verteilen. Er selbst aß nur ein trockenes Stück Brot, das er mit Kondwiramur teilte; aber es schmeckte beiden köstlich!

Danach ließ sich Parzival auf sein Zimmer bringen. Er sank ins Bett und schlief sofort ein. Aber nicht lange sollte er ungestört bleiben. In tiefer Nacht ging plötzlich

1 **stumm:** *ohne zu sprechen*
2 **e Gastgeberin:** *e Hausherrin*
3 **quälen:** *s Leben schwer machen*
4 **erobern:** *einnehmen, gewinnen*

die Tür auf und Kondwiramur trat, in ein langes weißes Nachtgewand gehüllt, ein. Sie kniete neben Parzival nieder und begann zu weinen. Erschrocken erwachte Parzival und Kondwiramur flüsterte: „Verzeiht mir, dass ich gegen jede gute Sitte in Euer Zimmer kam, aber ich finde keine Ruhe, bevor ich Euch nicht alles gesagt habe: Nach dem Tod meines Vaters will König Klamide mit aller Kraft meinen Thron und meine Krone bekommen. Er hat schon die Hälfte meiner Vettern, Fürsten, Mannen[1] und meines Volkes erschlagen, weil ich ihn nicht erhöre[2]. Aber wie könnte ich das, wo er doch auch meinen Bräutigam, Liasses Bruder, den ich liebte, im Zweikampf tötete? – Beendet durch Eure Kraft den Krieg und den Hunger in Pelrapeire." Nochmals erneuerte Parzival sein Versprechen: „O Königin, wer immer dein Feind sei, ich werde für dich tun, was in meiner Kraft steht." Die Königin verließ sein Zimmer.

Parzival konnte den Sonnenaufgang fast nicht mehr erwarten. Er warf sich in seine Rüstung, sprang auf sein Pferd und befahl, das Tor zu öffnen. Kondwiramurs magere Kämpfer folgten ihm. Schon kamen die Feinde. Parzival suchte nach dem Ritter Kingrun und stellte ihn zum Zweikampf. Es dauerte nicht lange und er hatte ihn besiegt unter sich liegen. Er schenkte ihm das Leben und wollte ihn Gurnemanz, dessen Sohn er getötet hatte, oder Kondwiramur, über deren Land er so viel Leid gebracht hatte, ausliefern. Der Ritter fürchtete um sein Leben und flehte[3] um eine andere Strafe. Parzival erhob sich: „Gib mir dein Wort, dass du nie wieder gegen Königin Kondwiramur Krieg führst, so schenke ich dir dein Leben. Nun schick ich dich als Gefangenen zu König Artus. Diese Strafe bringt dir sogar noch Ehre. Überbring ihm meine Grüße und sage ihm, dass ich die

1 **die Mannen:** *kampfbereite Männer*
2. **erhören:** *den Heiratsantrag annehmen*
3 **flehen:** *bitten*

rote Rüstung in Ehren trage." Der besiegte Ritter nahm die Strafe mit Freude an. Er befahl seinem Heer den Rückzug und machte sich auf den Weg zu König Artus.

Nun war der Jubel in der Stadt groß. Die Königin empfing ihn mit süßem Gruß und legte ihre Arme um ihn. Nichts wünschte sie sich mehr, als diesen Mann zu heiraten. Es gab weder etwas zu essen noch zu trinken, nur ein heißes Bad konnte man Parzival zur Stärkung anbieten. Da näherten sich vom Meer her zwei Kaufmannsschiffe. Alle liefen, so schnell sie konnten, zum Hafen und Parzival befahl, dass die geladenen Güter[1] – Brot, Wein und noch vieles mehr – gerecht verteilt würden. Auch bezahlte er den Händlern für jedes Stück den doppelten Preis. Das gab ein fröhliches Fest! Nun hatten die Fürsten und Ritter, die Knappen und das Volk nur mehr einen Wunsch: Parzival soll ihr König sein und gemeinsam mit ihrer Königin Kondwiramur regieren! Da die beiden nicht ablehnten, wurde noch am selben Abend die Hochzeit gefeiert und Parzival wurde König von Brobarz.

Am Morgen nach der Hochzeit kam jedoch, völlig unerwartet, König Klamide mit einem zweiten Heer. Er wollte mit Parzival um das Land und die Königin kämpfen. Sofort nahm Parzival die Aufforderung an und besiegte den König in kürzester Zeit. Auch ihn ließ er versprechen, das Land nie mehr anzugreifen, dann schickte er ihn ebenfalls zu König Artus.

Nun war der Friede endlich gesichert. In großem Glück und von allen geliebt herrschten Parzival und Kondwiramur über ihr gemeinsames Königreich, und niemand, der sich bittend an sie wandte, wurde abgewiesen[2]. Eines Morgens trat Parzival vor seine Frau und bat: „Herrin, erlaubt, dass ich Euch einen Herzenswunsch anvertraue. Lange Zeit habe ich schon meine geliebte Mutter nicht mehr gesehen. Gebt mir Urlaub und erlaubt, dass ich sie besuche. Auch

1 **die Güter:** *die Waren*
2 **abweisen:** *wegschicken*

möchte ich im Dienst Eurer Minne neue Abenteuer suchen und bestehen. Mit größeren Ehren, als ich ausziehe, komme ich wieder zurück und darf mich da noch froheren Herzens Eurer Liebe erfreuen." Kondwiramur konnte ihm diesen Wunsch nicht versagen[1] und so zog Parzival fort. Niemand durfte ihn begleiten, er ritt allein.

Wie Parzival, ohne es zu wissen, in die Gralsburg gelangt und aus ihr vertrieben wird

Einsam und mit schwerem Herzen ritt Parzival dahin. Er dachte an Kondwiramur, an ihre Schönheit und Güte. Wie ein Traum war ihr Bild immer vor seinen Augen. Aber er kehrte nicht um. Größer als seine Sehnsucht war sein Wunsch, durch die Welt zu reiten und Abenteuer zu erleben. Vor allem wollte er ja seine liebe Mutter, Frau Herzeloyde, wieder sehen. Er freute sich schon auf den Moment, da er den Wald seiner Kindheit erreichen und im Gutshof seiner Mutter einreiten würde. „Wie werden alle staunen[2], wenn ich als Ritter und König wiederkomme!", dachte er. „Und wie wird sich die Mutter über mich freuen!"

Aber es sollte alles ganz anders kommen. Große und schmerzliche Abenteuer standen Parzival bevor.

Als es Abend wurde, kam Parzival an einen See. Das war der See Brumbane, der da mitten im Wald lag. Auf dem Wasser war ein Boot mit Fischern. Auf dem Boden des Bootes sah Parzival einen prächtig gekleideten Mann, der traurig und müde über das Wasser schaute. Ihn rief Parzival höflich an: „Edler Herr, sagt mir bitte, wo ich in dieser Gegend eine Herberge[3] finde!" Der Gerufene richtete seine ernsten Augen auf Parzival und

1 **versagen:** *ablehnen, verbieten*
2 **staunen:** *überrascht sein*
3 **e Herberge:** *e Unterkunft*

antwortete: „Hier gibt es weit und breit weder Dorf noch Stadt, hier gibt es nur Wald, Wasser und Tiere, wie Gott es am ersten Tag schuf. Doch könnt Ihr eine Burg hier in der Nähe finden – sucht sie! Dort drüben, wo die Felsen zu Ende sind, müsst Ihr Euch nach rechts wenden und Ihr werdet sie vor Euch aufsteigen sehen. Ihr kommt an einen Graben, ruft, dass man Euch die Zugbrücke[1] herablässt. Zögert man, so sagt, dass Euch der Fischer schickt, und man wird Euch einlassen!" Parzival bedankte sich höflich für den Rat und ritt den Felsen entlang. Als er an ihrem Ende um die Ecke bog, musste er sein Pferd anhalten und die Hand ans Herz pressen, so wunderbar war das Bild, das sich seinen Augen bot.

Von einem tiefen Graben umgeben stieg ein steiler, glatter Felsen in den Abendhimmel und auf seiner höchsten Spitze stand funkelnd und leuchtend eine vieltürmige Burg mit starken Mauern. So unnahbar hatte Parzivals Auge noch nie eine Burg gesehen, niemand könnte sie erobern. Parzival ritt weiter bis an den Rand des Grabens, dann rief er hinüber: „Lasst mich ein, der Fischer schickt mich!" Im nächsten Moment senkte sich die mächtige Zugbrücke herab und Parzival ritt über die tiefe Schlucht[2] hinüber. Durch dunkle Gänge ritt er aufwärts, bis er in den Burghof kam. Das Gras war überall unzertreten und man merkte, dass schon lange kein Fest oder Turnier stattgefunden hatte. Trauerstimmung schien alle Gänge und Säle zu erfüllen. Edelknaben halfen ihm vom Pferd, zeigten ihm den Brunnen und führten ihn dann in sein Zimmer. Wenig später wurde Parzival abgeholt und in einen prächtigen Saal geführt. Hunderte Kerzen brannten in den Kronleuchtern und an den Wänden, an hundert Tischen saßen je vier Ritter, die ein Mahl erwarteten. Auf dem Boden lagen prächtige Teppiche, drei Feuer brannten in Marmorherden.

1 **e Zugbrücke:** *Brücke, die man hinaufziehen kann*
2 **e Schlucht:** *r tiefe Graben*

Nun trug man den Burgherrn auf einem Tragbrett in den Saal und ließ ihn nahe am größten der drei Feuer nieder. Parzival durfte ihn begrüßen und erkannte in ihm den Fischer wieder. Er schien sehr krank zu sein, blass war sein Gesicht, Schmerzen zeichneten seine Züge[1]. Ihm war kalt vor Fieber, darum lag er in Pelze gehüllt neben dem Feuer. Er lud seinen Gast ein, neben sich Platz zu nehmen, höflich gehorchte Parzival, die anderen Ritter standen herum, alles war still. Plötzlich wurde eine Tür geöffnet und ein Knappe trat ein, der einen blutigen Speer in der Hand hielt. Den Speer hoch erhoben schritt der Knappe die Wände ab, während die Ritter in Jammer ausbrachen[2], sie weinten und schrien. Als der Knappe wieder verschwunden war, kehrte das feierliche Schweigen zurück. Wieder öffnete sich die Tür. Nun traten zwei Mädchenpaare, vier Jungfrauen und einige Edelfrauen ein, insgesamt waren es vierundzwanzig Frauen, die dem Burgherrn einen Tisch, Besteck, Tücher und Kerzen brachten.

Zuletzt kam die Königin, deren Name war Repanse de Schoye, das heißt: Spenderin der Freude. Auch sie trug etwas: Auf einem grünen Seidentuch trug sie einen Kelch aus Kristall[3], und dieser Kelch, diese Schale, war der Heilige Gral, das kostbarste Gefäß auf der Erde und im Himmel. Strahlendes Licht ging von ihm aus. Als Luzifer sich gegen Gott auflehnte und von den guten Engeln aus dem Himmel auf die Erde gestürzt wurde, in die er bis zu ihrer Mitte versank, fiel ihm ein Stein aus seiner Krone: ein großer, klarer Kristall. Den fanden fromme Männer und machten daraus einen Kelch, den sie viele tausend Jahre lang versteckten. Aus diesem Kelch spendete Christus, als er auf der Erde lebte, seinen Jüngern beim letzten Abendmahl den Wein. Als er dann gefangen und gekreuzigt wurde, kam die Schale in den

1 **die Züge:** *r Gesichtsausdruck*
2 **in Jammer ausbrechen:** *zu weinen und schreien beginnen*
3 **s Kristall:** *geschliffenes Glas*

Besitz des frommen Joseph von Arimathia. Dieser hatte die Erlaubnis, den Leichnam Christi vom Kreuz zu nehmen und zu bestatten[1]. Als er in der Nacht den Körper Christi wusch, kam plötzlich noch Blut aus den Wunden. Dieses fing Joseph im Gralskelch auf. Da erschienen plötzlich Engel, die den Kelch forttrugen. Mehr als achthundert Jahre später zogen fromme Ritter ins Heilige Land, um am Grab des Herrn in Jerusalem zu beten. Da kamen wieder Engel herab und brachten den Gral mit dem Blut, das nicht mehr rot war, sondern weiß wie die Sonne strahlte, dem Ritter Titurel. Dieser brachte das kostbare Gefäß nach Europa und baute mit vielen Rittern und Knappen in einer einsamen hohen Gebirgsgegend, die kein Mensch ohne Gottes Willen und Ruf finden kann, die Gralsburg Montsalvat. Der Name bedeutet: Berg des Heils, der Gesundheit, der Rettung. Ganz in ihrem Inneren, in einem Raum, den er ganz mit Gold auskleiden ließ, stellte er die heilige Schale auf.

Jedes Jahr kam eine weiße Taube[2] vom Himmel, die eine Hostie im Schnabel trug. Diese legte sie in den Gral, was dessen Wunderkraft immer wieder erneuerte und verstärkte. Der Gral konnte nämlich jedem die Speise, die er wünschte bringen: Brot, Fisch, Fleisch, Obst, Milch oder Wein. Wer eine Stärkung des Herzens brauchte: Mut, Hoffnung, Seelenfrieden, den erhörte der Gral auch. Den Sterbenden gab sein Anblick Gewissheit, dass sie im Jenseits[3] mit Christus vereint weiterleben würden, die Verletzten erlöste er von ihren Schmerzen.

Niemand durfte die Schale mit den Händen berühren außer Königin Repanse, die die Tochter des Ritters Titurel war. Sie durfte das Gefäß in den Saal bringen, wenn der Gralskönig oder die Ritter danach ver-

1 **bestatten:** *begraben*
2 **e Taube:** *Vogelart*
3 **s Jenseits:** *Leben nach dem Tod*

langten. Dort stellte sie es dann auf den Tisch vor den König und das Mahl begann.

Als König Titurel als alter Mann gestorben war, hatte sein Sohn Anfortas die Aufgabe des Gralshüters übernommen. Er war der leidende Fischer, der Parzival den Weg zur Burg gezeigt hatte, sein Name bedeutete: der Kraftlose. Viele Jahre hat er seinen Dienst treu erfüllt und Montsalvats Ritter waren überall angesehen[1]. Immer, wenn der Gral einen neuen Ritter zu seinem Dienst wählte, erschien dessen Name in leuchtenden Buchstaben im Kristall des Gefäßes, und alle erwarteten und empfingen ihn mit großer Freude. Wenn irgendwo in der Welt jemand in Not und Gefahr kam und den Heiligen Gral um Hilfe anflehte, erschien dessen Name auch im Kristall. Dann musste sich ein Gralsritter aufmachen, um ihm zu helfen.

Aber eines Tages erlag Anfortas dem Zauberer[2] Klingsor. Dieser hasste die Burg Montsalvat und ihre Ritter. Er zauberte einen blühenden, lockenden Garten der Versuchung, den die Gralsritter nicht betreten durften. Obwohl Anfortas wusste, dass er eine Sünde[3] beging, kam er doch eines Tages vom Weg der Tugend ab und betrat mit einem geweihten Speer bewaffnet den verbotenen Garten. Da erschien sofort der Zauberer, entriss ihm die heilige Waffe und fügte ihm damit an der rechten Hüfte eine tiefe Wunde zu. Der Garten verschwand und der schwer verwundete Gralskönig konnte nur mit großer Mühe zur Burg zurückkehren. Seine Wunde aber heilte[4] nie wieder, da half auch keine Reue. Mit ihm verfielen auch alle anderen Bewohner der Gralsburg in tiefe, trostlose Trauer. Seit seiner Verwundung kam die Taube nicht mehr, kein neuer Ritter wurde vom Gral berufen und keiner in die Welt zu den Notleidenden geschickt. Die

1 **angesehen:** *respektiert*
2 **r Zauberer:** *r Magier*
3 **e Sünde:** *e Übertretung eines göttlichen Gebots*
4 **heilen:** *gesund, heil werden*

Gralsbotin Kundry zog durch das ganze Land, aber keines der mitgebrachten Mittel half. Als sich die verzweifelten Ritter vor dem Gral niederwarfen und um Hilfe flehten, da erschienen auf der Schale die Worte: „Wartet auf den Ritter, der kommen und den König von sich aus fragen wird, was ihm fehlt. Diese Frage allein kann Anfortas wieder gesund machen. Aber der Held muss die Frage gleich in der ersten Nacht stellen, am nächsten Tag ist es schon zu spät. Niemand darf ihn zu der Frage auffordern[1], sonst wird das Leiden noch größer. Stellt der Ritter die erlösende Frage, so soll er nun die Krone des Grals tragen, Anfortas aber soll nur mehr ein einfacher Ritter sein."

All das wusste Parzival nicht. Er ahnte auch nicht, wie viele Jahre die Ritter schon auf den warteten, der den Fischer von seinen Schmerzen befreien würde. Er sah nur, wie sie an den Tischen von den Speisen des Grals aßen, und er sah den leidenden[2] Anfortas. Gerne wollte er fragen: „Lieber Herr, was fehlt Euch?", aber er erinnerte sich an die Worte seines Lehrers, dass es unhöflich ist, wenn man zu viel fragt. Daher erkundigte er sich weder nach dem Gral, noch nach dem Wunder des Abendmahls, noch nach dem Grund für das Leid seines Gastgebers. Am Ende des Mahls gab ihm Anfortas ein herrliches Schwert als Gastgeschenk, dessen Griff aus einem einzigen Rubin gemacht war. Parzival dankte, nun hatte er zwei Schwerter, das von Herrn Ither und jenes aus der Gralsburg. Er wartete aber weiter stumm darauf, dass man ihm vom Gral und von der Verwundung des Fischers erzählen würde. Aber nichts geschah, die Diener räumten das Geschirr ab, die Mädchen und zuletzt Königin Repanse mit dem Gral verließen den Raum. Parzival wurde in sein Zimmer geführt, Mädchen brachten ihm noch Wein und Äpfel und baten ihn, noch eine Weile wach zu bleiben. Doch Parzival schlief ein,

1 **auffordern:** *bitten, animieren*
2 **leiden:** *starke Schmerzen haben*

ohne die erlösende[1] Frage zu stellen. Wie viel Leid hätte er Anfortas und sich selbst ersparen können!

Furchtbare Träume quälten ihn die ganze Nacht. Am nächsten Morgen schien die Burg menschenleer zu sein, seine Kleidung lag bereit, aber kein Knappe half ihm beim Ankleiden. Im Burghof stand sein Pferd gesattelt neben dem Tor. Das Gras war zertreten, niemand war zu sehen. Etwas verwundert und empört über die schlechte, unhöfliche Behandlung stieg Parzival auf sein Pferd und ritt über die Zugbrücke. Kaum war er auf der anderen Seite angekommen, wurde die Brücke so plötzlich hochgezogen, dass sein Pferd beinahe gestürzt wäre. Wütend drehte sich Parzival um und hörte eine Stimme, obwohl er niemanden sehen konnte: „Macht, dass Ihr weiterkommt! Selbst die Sonne hasst Euch von heute ab! Hättet Ihr doch den Wirt[2] nach seinem Leid gefragt! Ein großer Preis hat auf Euch gewartet, doch Ihr habt ihn verspielt. Lasst Euch hier nie wieder blicken!“ Parzival wollte, dass man ihm die bösen Worte erklärte, aber er bekam keine Antwort mehr. Da ritt er fort. Die Gralsburg verschwand. Er hatte ihr Geheimnis gesehen, ohne es zu verstehen.

Im Wald hörte er wieder das laute Weinen einer Frau. Sie saß am Boden, ein toter Ritter lag in ihrem Schoß. Ihr Gesicht war blass und hässlich, die Haare waren ihr teilweise ausgefallen. Sie fragte ihn, wo er die Nacht verbracht hatte, wollte aber seine Antwort nicht glauben: „Das gibt es nicht. Nur eine Burg steht in diesem Land, herrlicher als alle anderen, doch wer sie sucht, der findet sie nicht. Nur vom Gral gerufen oder unwissend kann man dorthin kommen. Montsalvat heißt die Burg. Wenn ihr wirklich in der Burg wart, so habt ihr den kranken König von seinem Leiden erlöst?“ Als sie erfuhr, dass Parzival die wichtige Frage nicht gestellt hatte, rief

1 **erlösen:** *retten, befreien*
2 **r Wirt:** *r Gastgeber, r Hausherr*

sie böse: „So bist du verloren und verflucht[1]! Du sahst ihn leiden, sahst den blutigen Speer – und hast nicht gefragt? Ist dein Herz aus Stein? Fühltest du kein Mitleid, dass du bei all dem Leid nicht nach der Ursache fragtest? Parzival – Mittendurch sollst du gehen und was tatest du? Du schwiegst und bliebst zögernd zurück, statt mit einer einzigen Frage für immer zum Gral zu gelangen!" Parzival erkannte Sigune wieder, der vor Kummer die Haare ausgefallen waren, und flehte: „O Sigune, ich will gutmachen, was ich verbrach! Lass mich dir zuerst helfen, diesen toten Ritter zu begraben!" „Weg mit dir! Rühr ihn nicht an! Ich will hier sitzen und um meinen Bräutigam klagen, bis oben in Montsalvat der Fischer von seinen Qualen erlöst ist. Ich liebte dich Parzival, roter Ritter. Dir war von Gott der höchste Ritterpreis zugedacht: die Gralsburg – und in der Gralsburg hast du ihn verloren. Geh mir aus den Augen! Ich verfluche dich! Ruhelos sollst du von nun an durch die Welt ziehen und den Gral suchen – aber finden sollst du ihn nicht!"

Traurig ritt Parzival weiter. Da sah er frische Hufspuren und entdeckte einen Ritter, dem in größerem Abstand eine nur mit einem groben Hemd bekleidete Frau auf einem elenden Pferd folgte. Parzival näherte sich der Frau und wollte ihr mitleidig seinen Mantel schenken. Voll Entsetzen wehrte sie ab: „Nicht! Wenn das mein Gatte sieht, ist das unser beider Tod. Dort vorn reitet er, Herzog Orilus ist sein Name, ich bin Jeschute, der Ihr in Eurer Dummheit den Ring und die Spange raubtet. Nur wegen Euch wurde ich so bestraft. Flieht[2] jetzt!" Aber es war zu spät. Herzog Orilus hatte sein Pferd gewendet und forderte Parzival wütend zum Kampf. Zuerst stritten sie auf den Pferden, dann kämpften sie am Boden weiter. Mit großer Gewalt drückte Parzival seinen Gegner gegen einen Baum, bis dieser rief: „Genug, lieber als zu sterben

1 **verfluchen:** *mit einem Fluch belegen, verwünschen*
2 **fliehen:** *weglaufen*

will ich diesem Weib vergeben, so schwer es mir auch fällt. Schwört[1] mir, dass Jeschute unschuldig ist und Ihr den Schmuck geraubt habt." „Sie ist unschuldig und treu. Mich allein trifft die Schuld. Ich war dumm und noch kein Mann. Hier ist der Ring, gebt ihn ihr zurück und verzeiht Eurer lieben Frau." Orilus war noch nicht ganz zufrieden, er wollte, dass Parzival auf etwas Heiliges schwor, und so ritten sie zum frommen Einsiedler[2] Trevrizent, der ein Bruder des Königs Anfortas und der Königin Repanse war. Er war früher auch ein Gralsritter gewesen, doch gefiel ihm das Leben auf Montsalvat nach der Verwundung seines Bruders nicht mehr. Er hatte sich an den Rand des Gralsgebietes zurückgezogen und stand allen, die seine Hilfe suchten, gerne mit Rat und Tat bei. In seiner Hütte[3] gab es auch ein Kästchen mit einer heiligen Reliquie. Auf dieses legte Parzival nun seine Hand und leistete einen Eid[4] auf Jeschutes Unschuld und Treue. Nun wollten Jeschute und Orilus, glücklich über ihre Versöhnung, zu ihrem Zelt zurückkehren. Doch Parzival trat ihnen in den Weg: „Ich habe diesen Kampf nicht nur deshalb gesucht, weil Ihr Eure arme, unschuldige Frau so tief erniedrigt habt, sondern auch weil Ihr den Bräutigam meiner Cousine Sigune erschlugt. Eure Niederlage erscheint mir als Buße zu wenig, darum befehle ich Euch, dass Ihr sofort zu König Artus reist und Euch ihm gefangen gebt. Ihr müsst ihn suchen und Eure Dienste anbieten." Das versprach Orilus gerne, dann verabschiedete er sich, hob seine Frau zu sich auf das Pferd und kehrte zu seinem Zelt zurück. Alle Diener freuten sich sehr über die Versöhnung des Herzogpaares. Dann packten sie zusammen und machten sich auf die Suche nach König Artus.

Parzival aber versank wieder in seine frühere Traurig-

1 **schwören:** *durch einen Eid bekräftigen*
2 **r Einsiedler:** *r Eremit*
3 **e Hütte:** *kleines, einfaches Haus*
4 **r Eid:** *r Schwur*

keit, nahm einen bunten Speer, der an der Hütte lehnte, und ritt fort. Der Speer sollte Parzival noch Schwierigkeiten bereiten. Die Waffe hatte ein anderer Ritter vergessen. Sie war verzaubert: sie ließ ihren Träger nur in sein Inneres schauen und die Welt um sich herum vergessen.

Wie Parzival beinahe ein Artusritter wird und seinen Herzbruder Gawan findet

Herzog Orilus fand König Artus bald, denn dieser war von Nantes aufgebrochen, um den roten Ritter zu suchen, der ihm schon zwei tapfere Ritter geschickt hatte, die den Ruhm und den Glanz seiner Tafelrunde sehr vermehrt hatten. Es war Mai und das Pfingstfest[1] stand bevor. Zu dieser Zeit versammelte König Artus am liebsten seine Ritter um sich. Es war aber allen streng verboten, sich ohne die Erlaubnis des Königs auf einen Zweikampf einzulassen. König Artus hatte Sorgen, dass seine Kämpfer auf einen Gralsritter treffen könnten, was sie alle in tiefe Schuld[2] stürzen würde. „Wo das Gebiet des Grals beginnt, dort endet meine Macht!"

Parzival ritt auf seiner Suche nach der Gralsburg immer noch durch die Wälder. Obwohl es bereits Mai war, schneite es in der Nacht. Am Morgen kam er auf eine Wiese mit Gänsen[3], als plötzlich ein Falke[4] versuchte eine Gans zu töten. Es gelang ihm nicht, aber die Gans war verwundet und drei Blutstropfen fielen in den weißen Schnee. Als Parzival die Tropfen sah, stützte er sich auf seinen bunten Speer und schon begann dessen Zauber zu wirken und er vergaß alles um sich herum. „Rot und weiß, das bist du, geliebte Kondwiramur! Weiß

1 **s Pfingstfest:** *christliches Fest des Heiligen Geistes*
2 **e Schuld:** *s Vergehen, e Übeltat*
3 **e Gans:** *Vogelart*
4 **r Falke:** *r Raubvogel*

ist deine Haut und rosenrot sind deine Wangen. O wie weit habe ich mich von dir entfernt! Werde ich jemals zu dir zurückfinden? Ach ich bin ein verlorener Mann!"

Die Wiese, auf der Parzival stand, war in der Nähe des Lagers von König Artus. Als die Ritter der Tafelrunde den fremden Ritter, der in seiner Rüstung mit erhobenem Speer auf der Wiese stand, bemerkten, dachten sie, dass Parzival sie zu einem Zweikampf auffordern wollte. Sogleich stürmten die wildesten Ritter in das Zelt des schlafenden Königs, rissen ihm die Bettdecke weg und baten ihn, sein Kampfverbot aufzuheben. Seufzend gab Artus nach. Ein wilder Ritter jagte aus dem Lager auf den in Gedanken versunkenen Parzival zu. Nur sein Pferd rettete den Träumer, als es sich wendete, so dass Parzival die Blutstropfen nicht mehr sehen konnte. Es dauerte nicht lange und der Ritter war besiegt und ritt zum Lager zurück. Parzival versank wieder in den Anblick des Blutes und träumte von seiner schönen Frau. Ein zweiter Ritter wollte dieses Missgeschick rächen, wieder war es Parzivals Pferd, das ihn rettete, und auch der zweite Ritter kehrte ins Lager zurück, er allerdings war schwer verletzt. Parzival träumte weiter. Im Lager aber herrschte große Aufregung. Wer war der fremde Ritter, der sie alle provozierte und zum Kampf aufforderte? Viele waren auch über die schwere Verletzung entsetzt.

Auch Herr Gawan, der größte Held der Tafelrunde, eilte weinend ans Krankenbett seines Freundes. Doch dieser wollte nichts von seinem Mitleid wissen. „Was weint Ihr wie ein altes Weib[1]. Pfui, schämt Euch, Herr Gawan. Frauenliebe gilt Euch mehr als Männerstreit!" Traurig verließ Gawan das Zelt und er sprach zu sich selbst: „Ich bin noch nie einem Kampf ausgewichen[2] und werde es auch jetzt nicht tun. Ich vergebe[3] meinem Freund die bösen

1 **s Weib:** *e Frau*
2 **ausweichen:** *aus dem Weg gehen*
3 **vergeben:** *verzeihen*

Worte. Die Liebe zu den Frauen hat mein Herz gütiger und verständnisvoller gemacht als das seine." Er ritt ohne Waffen auf die Wiese, wo Parzival noch immer auf das Blut im Schnee starrte und erkannte den Grund für dessen seltsames Verhalten: „Nicht um uns alle zu reizen, sondern weil ihm die Sehnsucht nach einer reinen Frau die Sinne nimmt, benimmt er sich so. Andere Mittel als der Kampf können ihn aus seinem Traum wecken." Er stieg vom Pferd, zog ein Seidentuch aus seiner Tasche und deckte damit die drei Blutstropfen im Schnee zu. Sofort kam Parzival zu sich und rief: „Wo bin ich? O Kondwiramur, wer hat mir dein liebes Bild entführt?" Gawan antwortete: „Das tat ich, mein Freund. Ich erkenne dich: Du bist Parzival, der den roten Ritter erschlug und nun selbst ein liebeskranker roter Ritter wurde. Lass dir raten: Dein Geist muss von den Fesseln der Liebe frei bleiben, auch wenn du große Sehnsucht hast, sonst verlierst du Rittertugend[1] und Ritterehre!" Parzival sah sich nach seinem Speer um. Verwundert sah er ihn zerbrochen auf dem Boden liegen. Gawan erzählte ihm: „Ihr siegtet träumend über zwei Helden, Frau Minne half Euch dabei. Erlaubt mir, dass ich Euch zu König Artus führe. Er lagert mit der Tafelrunde ganz nah von hier. Kommt!"

Gern folgte Parzival der Einladung. Er folgte Gawan in sein Zelt, konnte sich endlich waschen und bequeme Kleidung anziehen. Die Ruhe tat im gut und er freute sich auf die Gesellschaft der Ritter und die Freuden der Tafelrunde. In diesem Kreis das Pfingstfest zu feiern war für ihn das Schönste, was er sich im Moment vorstellen konnte. König Artus eilte sofort nach der Frühmesse in Gawans Zelt um den Gast zu begrüßen. Von allen Seiten strömten die Ritter herbei, man musste die Zeltwände nach oben binden, da nicht alle Platz hatten. Parzival stand wie ein Engel unter dem Zeltdach und als der König ihn voll Liebe umarmte und ihm für das Gute

1 **e Rittertugend:** *gute Eigenschaften*

dankte, das er für Frau Jeschute getan hatte, und für die Helden, die er ihm geschickt hatte, da brach gerade die Sonne durch die Wolken. Der Schnee begann zu schmelzen. Die anderen Ritter rückten näher und Parzival musste viele Hände drücken. Dann gelobte[1] er mit Hand und Mund, ein Ritter der Tafelrunde zu werden und in alle Zukunft Herrn Artus, dem mächtigsten König und edelsten Fürsten der Christenheit, in Treue zu dienen.

Die warme Sonne hatte die dünne Schneedecke verschwinden lassen, überall blühten Blumen und man stellte nun eine Tafel mitten im Grünen auf. Alle, Ritter und Knappen, Frauen und Mägde setzten sich zum Mahl. Parzival saß neben Gawan, und jeder, der die beiden sah, erkannte, dass diese beiden Männer Freunde, ja Brüder, für ihr ganzes Leben geworden waren. Nichts sollte sie jemals trennen. Auch die Königin Ginover erschien und ließ Parzival ihre Lippen küssen, dann sagte sie: „Ich vergebe Euch den Schmerz, den Ihr mir damals durch Herrn Ithers Tod zufügtet!"

Doch wer hätte gedacht, wie schlimm dieser Festtag noch für Parzival enden sollte! Während alle fröhlich bei Tisch saßen und sich die köstlichen Speisen und den Wein schmecken ließen, näherte sich plötzlich die Zauberin und Gralsbotin Kundry auf einem Maultier[2]. Alle hörten auf zu essen und zu trinken, niemand sprach ein Wort. Jeder schaute der Reiterin entgegen und wollte ihre Worte hören. Kundry konnte alle Sprachen sprechen: Französisch, Heidnisch und Latein. Sie hatte Kenntnisse in Geometrie und kannte die Geheimnisse der Sterne. Ihre Kleidung war prächtig, ihr Gesicht und ihre Gestalt waren hässlich. Sie hielt vor König Artus und rief: „Schande über dich und die Tafelrunde! Ihr seid alle entehrt[3]! In den Ruhm, den die Sänger von

1 **geloben:** *versprechen*
2 **s Maultier:** *ein Reittier*
3 **entehrt:** *ohne Ehre*

euch und euren hohen Taten singen, wird sich ein lauter Misston mischen, seit Parzival bei euch ist. Ihr habt ihn in euren Bund aufgenommen und nennt ihn den roten Ritter, weil er Herrn Ithers Rüstung trägt. Doch dieser war ein Edelmann und Parzival ist für euch nur eine Schande." Erschrocken hörten die Ritter die furchtbaren Worte, doch keiner wagte es, die Gralsbotin deshalb zu verjagen. Sie ritt nun zu Parzival, schaute ihm drohend in die Augen und rief: „Schande über den hellen Schein, der von dir ausgeht, Fluch über die Kraft deines herrlichen Körpers! Tausendfach pfui über deinen Mut und deine Heldenehre! Mein Anblick, Herr Parzival, kommt dir schrecklich vor, nicht wahr? Doch würdest du noch weit mehr über deinen eigenen Anblick erschrecken, könntest du dich mit den Augen des Grals sehen wie ich! Du warst in Montsalvat, hast den Fischer in seiner Not gesehen, aber du hast die erlösende Frage nicht gestellt! Du hast dort oben versagt und willst dich nun bei Herrn Artus zur Ruhe setzen? Das ist sicher bequemer als die Gralsburg zu suchen. Aber dazu hat dir Anfortas sein Schwert nicht gegeben. Du bist auserwählt im Anblick des Grals zu leben und sein Licht über alle Reiche der Erde zu verbreiten, was aber tust du? Statt nach der heiligen Schale zu suchen, genügt dir der mit Wein gefüllte lustige Becher von König Artus!" Sie hob die Arme zum Himmel und Tränen liefen aus ihren Augen. „O Montsalvat, o Berg der Leiden! Kein Retter kommt zu dir! Ist denn niemand in der Runde, der nach wahrem Ruhm und höchster Minne strebt? Ich kenne ein Schloss – genannt 'Schloss der Wunder[1]' –, in dem vier Königinnen und vierhundert Jungfrauen gefangen sind. Dort kann ein Held sein größtes Abenteuer erleben. Ich reite dorthin. Wer Abenteuer sucht, der folge meinen Spuren[2]!" Dann trieb sie ihr Maultier fort,

1 **s Wunder:** *Unerklärliches, s Mirakel*
2 **die Spuren:** *die Fußabtritte*

mehrmals wandte sie sich noch weinend um: „O Montsalvat, Haus der Qualen, wann kommt dein Retter?"

Tiefes Schweigen lag über der Tafelrunde, nachdem Kundry fort war. Plötzlich sprang Parzival auf, schlug die Hände vor sein Gesicht und rief: „O weh, was ist Gott? Ich diente Gott mit allen meinen Taten, seinetwegen verließ ich meine geliebte Frau und bestand harte Zweikämpfe. Nun stürzt er mich unschuldig in so tiefe Schuld! Ich weiß, dass ich Gottes Zorn genauso dankbar ertragen muss wie seine Liebe. Nur wenn ich zum Gral zurückfinde, finde ich auch den verlorenen Weg zu meiner geliebten Frau wieder. Zum Gral komme ich nur, wenn ich das 'Schloss der Wunder' erobere. Das soll mein nächstes Abenteuer sein, das ich mit Gottes Hilfe glücklich bestehe!"

Auch die anderen Ritter sprangen auf, schämten sich ihres gemütlichen Lebens, riefen nach ihren Waffen und Pferden, nahmen vom König Urlaub und ritten in verschiedene Richtungen auseinander. Sie zogen zu neuen Abenteuern, durch die sie besser und edler werden wollten.

Gawan trat auf Parzival zu und umarmte ihn. „Lass mich für dich das Abenteuer im Wunderschloss bestehen. Ich kenne das Land des Zauberers Klingsor, wo es steht, besser als du. Durch diese Tat will ich unsere Freundschaft bekräftigen. Du wirst noch genug zu kämpfen und zu leiden haben, bevor du deine Kondwiramur wieder siehst! Leb wohl!" Parzival nahm nach einigem Zögern Gawans Angebot an. Sie trennten sich nach schmerzlichem Abschied und jeder ritt in eine andere Richtung fort.

Wie Gawan das Wunderschloss von Klingsors Zauber befreit und den Tugendzweig gewinnt

Der Weg, dem Ritter Gawan folgte, war sehr beschwerlich[1]. Der Himmel war immer voller Wolken. Es war ein trauriges Land. Um so überraschender war der Anblick des Wunderschlosses, das am anderen Ufer eines Flusses auf einem einsamen, dunklen Felsen stand. Das Schloss war in orientalischem Stil erbaut, die Mauern waren aus weißem Marmor, die Dächer und Kuppeln waren bunt gedeckt, Palmen waren hinter den Mauern. Obwohl keine Sonne schien, blitzten die Millionen Diamanten, Smaragde und Rubine auf der Mauern.

Gawan klopfte das Herz, als er die Burg sah. Er konnte es nicht erwarten, ihr Abenteuer kennen zu lernen. Er sah einen Fährmann[2] mit seinem Boot und bat ihn um eine Überfahrt für sich und sein Pferd. „Ist dies das Schloss, das der Zauberer Klingsor mit Hilfe von unsichtbaren Geistern[3] in einer einzigen Nacht erbaute?", wollte der Ritter wissen. Der Fährmann antwortete: „O Herr, Ihr wisst viel, aber Ihr dürft das Schloss nicht betreten. Ich habe schon viele, die ein Abenteuer erleben wollten, über den Fluss gebracht – keiner kam jemals zurück!" Am anderen Ufer wollte Gawan mehr über Klingsor und die Jungfrauen im Schloss erfahren. Der Fährmann setzte sich an den Rand des Bootes und begann zu erzählen: „Klingsor war der Sohn des Herzogs von Neapel. Er war schwach und ohne Mut, so dass ihn immer alle auslachten. Das kränkte ihn und so hasste er jeden, der stark und mutig war. Er wollte alle Helden vernichten. In einem von einem großen Magier verfassten Buch las er alles über die Geheimnisse der Unterwelt, dann erbaute er in diesem abgelegenen Land mit Hilfe von Dämonen das Wunder-

1 **beschwerlich:** *anstrengend, ermüdend*
2 **r Fährmann:** *Mann, der andere über den Fluss bringt*
3 **unsichtbare Geister:** *Dämonen, die man nicht sehen kann*

schloss. Vier Königinnen und vierhundert Jungfrauen fing er mit seinem Zauber und sperrte alle in die goldenen Zimmer seiner Burg. Es fehlt ihnen nichts, außer die Freiheit, das warme Licht der Sonne und das Leuchten der Sterne. Auf der ganzen Welt hörten Ritter von dem Schloss und kamen, um die Gefangenen zu befreien. Aber Klingsors Zauber hielt so gefährliche Abenteuer bereit, dass alle umkamen[1]. Nur jener, der keine Furcht kennt, kann sie bestehen – doch wer ist ohne Furcht?

Klingsor starb, sein Zauber wirkt weiter. Und wird er nicht eines Tages gebrochen, so bleiben die Königinnen und die Jungfrauen für ewige Zeit[2] im Schloss. Auch mich hält Klingsors Hass gefangen. Früher war ich ein Ritter, jetzt muss ich als Fährmann dienen. Ich muss jeden, der es wünscht, zum Schloss bringen. Aber ich darf Euch warnen, edler Herr, lasst die Burg und zieht weiter!" Gawan dankte und wollte gleich weiter zum Schloss, doch der Alte bat ihn, die Nacht in seiner Hütte zu verbringen und das Abenteuer erst am nächsten Tag zu wagen. Der Ritter willigte ein. In der Hütte befahl der Fährmann seiner Tochter den Ritter zu bedienen, was das hübsche Mädchen gerne machte. Sie führte ihn in sein Zimmer, half ihm die Rüstung abzulegen, brachte ihm Wasser, schnitt beim Abendessen das Fleisch für ihn und reichte ihm den Wein. Dann bereitete sie sein Bett und gab ihm ihren Mantel als Decke. In der Nacht betete sie, dass Gawan nicht ins Schloss gehen würde, da ihr der schöne Ritter gut gefiel und sie ihn nicht verlieren wollte.

Gawan erwachte sehr früh vom Gesang der Vögel. Er stand auf, öffnete die Fensterläden und sah zum Wunderschloss. Es war wunderbar anzuschauen, aber an jedem Fenster stand eine gefangene schöne Jungfrau und blickte traurig auf ihn. Das traf ihn tief ins Herz. Noch einmal versuchte der Fährmann, ihn zurückzuhal-

1 **umkommen:** *ums Leben kommen, sterben*
2 **für ewige Zeiten:** *für immer*

ten, doch Gawan war fest entschlossen die Frauen zu befreien. Der Alte überprüfte die Waffen des Ritters, mit dem Helm und dem Schwert war er zufrieden, der Schild gefiel ihm nicht und er brachte seinen eigenen: „Nehmt den, er ist dicker als der Eure. Ihr werdet im Schloss auf dem Wunderbett liegen müssen: Lasst dort Schwert und Schild nie aus den Händen, wenn Euch Euer Leben lieb ist! Mehr darf ich Euch nicht sagen. Lebt wohl und Gott steh' Euch bei!" Vor der Tür stand sein Pferd, er dankte für die Gastfreundschaft und ritt fort. Das Mädchen sah ihm weinend nach: „Er ist verloren wie alle anderen, die vor ihm kamen!"

Gawan ritt bis zum offenen Tor, davor stand ein Mann, der alles Mögliche zu verkaufen hatte, aber Gawan war nicht interessiert. Der Händler bot an, auf Gawans Pferd aufzupassen. Sollte der Ritter wieder lebend aus dem Schloss kommen, würde er das Pferd zurück und alle seine Waren dazu bekommen. Der Ritter war einverstanden, er gab dem Mann das Pferd, hielt den dicken Schild des Fährmanns hoch, nahm sein Schwert in die andere Hand und betrat das Schloss. Er ging durch viele Säle, Hallen und Gänge, die mit Juwelen geschmückt waren, Palmen und exotische Blumen waren in den Gärten, die Brunnen waren aus Marmor. Er lief den ganzen Tag durch das Schloss, ohne die vier Königinnen oder eine der vierhundert Jungfrauen zu sehen. Abends kam er in einen Raum, in dem viele Betten standen. Gawan wollte sich gerne ein wenig hinlegen, doch kaum hatte er sich auf eines der Betten gesetzt, da verschwanden[1] alle anderen. Verwundert[2] schaute sich der Ritter um. Da bemerkte er, dass sich am Ende des Raumes eine Tür geöffnet hatte, die er zuvor nicht bemerkt hatte. Er betrat ein mittelgroßes Zimmer, dessen Boden aus Juwelen gemacht war und

1 **verschwinden:** *nicht mehr da sein*
2 **verwundert:** *überrascht*

der spiegelglatt war. In der Mitte des Raumes stand ein breites Bett, das war das Wunderbett, von dem der Fährmann gesprochen hatte und das schon vielen Helden das Leben gekostet hatte. An seinen Füßen waren kleine runde Scheiben aus Rubinen befestigt, auf denen es sehr schnell hin- und herrollen konnte.

„Hier will ich mich endlich ausruhen!“, dachte der Ritter und wollte sich auf das Bett legen. Doch kaum hatte er es berührt, da rollte es ihm davon. Die Tür hatte sich wieder geschlossen. Gawan versuchte eine Weile, das vorbeirollende Bett zu fassen, dann sprang er einfach mitten darauf. Jetzt aber zeigte das Bett erst seinen ganzen Zauber. Es begann wie wild im Zimmer hin- und herzufahren und stieß dabei immer wieder an die Wände. Der Raum war von großem Lärm erfüllt. Gawan blieb liegen, deckte sich mit dem Schild zu und hoffte auf Gottes Hilfe, was hätte er sonst auch tun sollen? Tatsächlich wurde das Bett immer langsamer und stand schließlich still, auch der Lärm hörte auf. Aber plötzlich schien sich die Decke des Zimmers zu öffnen und eine große Menge von Steinen fiel auf den Ritter und zerdrückte ihn fast, während von den Wänden Pfeile[1] auf ihn geschossen wurden, die ihn überall verwundeten. Da trat ein riesengroßer Bauer durch die Tür, der eine Keule hielt und mit furchtbarer Stimme rief: „Von mir habt Ihr nichts zu befürchten, doch will ich schauen, dass Ihr noch in dieser Stunde Euer Leben verliert! Weiß der Teufel, wieso Ihr noch am Leben seid!“ Er verschwand wieder, als plötzlich ein lautes Brüllen zu hören war. Im nächsten Moment sprang ein Löwe, groß wie ein Pferd, auf das Bett zu. Gawan wusste, dass es nun um Leben und Tod ging. Der Kampf war schwer und der Löwe kam so nahe, dass Gawan schon seinen Atem in seinem Gesicht spürte, da nahm er seine letzte Kraft zusammen und stieß der Bestie das Schwert in den Körper. Der

1 **r Pfeil:** *ein Wurfgeschoss*

Löwe sank tot zu Boden. Auch Gawan verlor das Bewusstsein und fiel in das Blut des getöteten Tieres.

So fanden ihn die Königinnen und die Jungfrauen, die durch seinen Sieg erlöst waren und sich ihm endlich zeigen durften. Mit großer Liebe kümmerten sie sich um ihn. Als Gawan wieder erwachte, lag er in einem Bett, dann zog er die vorbereiteten Kleider an. Er wurde zu den Königinnen gebracht, unter denen auch die Mutter von König Artus war. Sie hieß ihn herzlich willkommen, ließ ihm zu essen bringen und machte dann einen Rundgang durch das Schloss mit ihm. Gawan war überrascht, wie viele Räume er noch nicht gesehen hatte. Alles erstrahlte von Gold und Kristall, überall waren Juwelen, wie Diamanten, Rubine, Smaragde und viele mehr. Zuletzt brachte ihn die Königin auf einen hohen Turm. In der Mitte war eine spiegelnde Säule, in der man sechs Meilen weit sehen konnte. Erstaunt sah Gawan Länder mit Wäldern, Flüssen, Feldern und Straßen. Er sah Leute stehen, laufen, reiten und arbeiten und plötzlich bemerkte er, dass über dem Wunderland die Sonne aufging, ein frischer Wind hatte die Wolken vertrieben! Das alles war durch Gawans mutiges Verhalten auf dem Wunderbett geschehen; er hatte Klingsors Zauber gebrochen, das glückliche Singen der Jungfrauen erfüllte das ganze Schloss.

Auf einmal sah Gawan in der Säule – Parzival! Dieser ritt traurig und einsam durch die Länder und suchte die Gralsburg. Ein tiefer Schmerz erfasste Gawan, als er den Freund so sah und er wollte ihm vom glücklichen Ausgang seines Abenteuers erzählen, als Parzival wieder im Wald verschwand. Sofort wollte Gawan zu ihm eilen, als er plötzlich einen riesigen Ritter in eisengrauer Rüstung auf sich zureiten sah. Die Königin erklärte: „Du kannst jetzt nicht fort, Gawan. Dieser mächtige Ritter bewacht den Tugendzweig, den er dir nicht ohne Kampf überlässt. Sicherlich kommt er, um von dir die Herrschaft über das Wunderschloss und das Wunderland zu fordern. Morgen früh wirst du wohl mit ihm kämpfen müssen. Besiegst du ihn, so ist nicht nur das Schloss auf ewig dein, sondern auch der Tugendzweig dieses Ritters. Das ist ein kleiner Zweig[1], aber so wunderbar, dass jeder Ritter gern sein Leben wagt[2], um ihn zu besitzen. Wer ihn gewinnt, der kann eines Tages die Gralsburg finden, wenn Gott es erlaubt." So beschloss Gawan zu bleiben.

Die ganze Nacht feierten und tanzten die Mädchen und freuten sich, dass sie das Schloss bald verlassen würden. Am nächsten Morgen, noch vor Sonnenaufgang, stand Gawan auf und legte seine Rüstung an, er holte sein Pferd und ritt dem fremden Ritter entgegen. Auf einmal sah er durch den Sehschlitz seines Helmes im Nebel einen anderen Ritter mit geschlossenem Visier und drohend erhobenem Speer, ein Zeichen, dass er kämpfen wollte. Auf Gawans Ruf antwortete er nicht, und so machten sie sich bereit zum Kampf. Fürchterlich prallten sie aufeinander[3], die Speere zerbrachen und sie kämpften am Boden mit den Schwertern weiter. Der Lärm weckte die Jungfrauen und sie eilten erschrocken ans Fenster. Verwundert bemerkten sie, dass Gawans Gegner stärker zu sein schien. Jeden Moment konnte es geschehen, dass Gawan stürzte und sein Leben durch den fremden Ritter verlor. Da sie ihren Befreier liebten und nicht verlieren wollten, hielten sie ihre hohlen Hände an den Mund und riefen ihm zu: „Haltet durch, Herr Gawan!" Kaum hatten sie zu rufen begonnen, da sprang der fremde Ritter zurück und streckte die Waffen[4]. Er rief: „Was muss ich hören? O mein Freund, wie danke ich Gott, dass mir jene Jungfrauen zur rechten Zeit deinen Namen verrieten! Ich wäre nie mehr froh geworden, hätte ich dich verwundet oder gar getötet, mein lieber, teurer Bruder!"

1 **r Zweig:** *kleiner Ast eines Baumes*
2 **wagen:** *riskieren, aufs Spiel setzen*
3 **aufeinander prallen:** *zusammenstoßen*
4 **die Waffen strecken:** *den Kampf beenden*

Der fremde Ritter öffnete sein Visier und Gawan erkannte Parzival! Überrascht umarmten sie sich! Beide hatten den anderen für jenen fremden Ritter gehalten, mit dem sie um den Tugendzweig kämpfen wollten. Parzival gab Gawan das Gralsschwert: „Nimm Anfortas' Schwert. Mir brachte es bis jetzt wenig Glück. Die Gralsburg konnte ich nicht finden. Ich bin nicht mehr würdig es zu tragen, seit ich dich damit beinahe getötet hätte!" Gawan nahm es an und wollte Parzival dafür das Wunderschloss schenken, aber Parzival lehnte ab. „Ich danke dir, Gawan, für alle Liebe und Treue, aber es kann mir die Wunder der Gralsburg nicht ersetzen. Was ist die Schönheit all der Jungfrauen gegen die Liebe meiner Frau. Aber es liegt ein Fluch auf mir. Wie rastlos ich auch suche, ich finde die Burg nicht wieder. Auch meine liebe Kondwiramur bleibt mir verloren. Dennoch muss ich suchen bis ans Ende meiner Tage. Leb wohl!" Mit diesen Worten ritt Parzival weiter, er trug nur mehr Herrn Ithers Schwert.

Traurig sah ihm Gawan nach, da bemerkte er plötzlich den großen grauen Ritter, der sich mit einem grünen Zweig in seinen Händen näherte. Er hielt vor Gawan, gab ihm den Zweig und sprach: „Ich wollte mit dir um die Burg kämpfen, doch Herr Parzival war schneller. Du musst ihm den Tugendzweig bringen!" Sofort lief Gawan auf den Turm und suchte Parzival in der Wundersäule, aber er sah ihn nirgends. So verabschiedete er sich von der Königin und ritt seinem Freund nach. Der Fährmann und seine schöne Tochter konnten ihn nicht aufhalten. Am nächsten Morgen musste der alte Mann mit seinem Boot die vier Königinnen und die vierhundert Jungfrauen über den Fluss bringen. Sie wollten alle zu Herrn Artus und seiner Tafelrunde.

Wie Parzival am Karfreitag zum alten Einsiedler Trevrizent kommt und seine weisen Lehren hört

Was passierte mit Parzival, nachdem er seinen Freund Gawan und das Wunderschloss verlassen hatte? Er zog mit seinem Pferd oder auf einem Schiff durch die Welt, bestand in vielen Ländern und auf wilden Meeren die schwersten Abenteuer, so dass man den Namen des roten Ritters bald überall mit großem Respekt nannte und kannte. Aber in all den Ländern konnte er nirgends die Gralsburg finden. Jeden Ritter, dem er begegnete, stellte er zum Kampf, jeden besiegte er und kein Einziger konnte ihm den Weg nach Montsalvat oder zu seiner Frau Kondwiramur zeigen.

Sommer gingen, Winter kamen, Parzival zählte sie nicht. Einsam und an Gottes Gnade[1] zweifelnd kam er eines Tages in einen tiefen Wald. Da sah er plötzlich eine kleine Hütte, durch die ein kalter Brunnen floss. Die Tür konnte nicht geöffnet werden, nur durch ein kleines Fenster fiel Licht ins Innere. Hier hatte Sigune ihren toten Bräutigam begraben und wachte nun Tag und Nacht über dem Sarg. Betend wartete sie, trotz ihrer Jugend, auf den Tod. Parzival wollte wissen, wer in der Hütte wohnte, und ritt nahe an sie heran. Als er die Frauenstimme hörte, riss er erschrocken sein Pferd zurück, denn es war nach ritterlich-höfischer Sitte verboten, so nahe an eine Frau heranzureiten. Sigune erlaubte ihm, sich auf die Bank vor der Hütte zu setzen. Parzival wollte gerne wissen, wie sie in der Einsamkeit überleben konnte ohne zu verhungern, da antwortete Sigune: „Kundry, die Gralsbotin reitet jede Samstagnacht vom Gral herunter und bringt mir etwas zu essen.“ Parzival horchte auf: Er war also dem Gral so nahe gekommen? Dann konnte Montsalvat nicht mehr weit sein! Zu gerne würde er wissen, wer die Frau in der Hütte war. Da gab sich Sigune

1 **e Gnade:** *e Gunst, göttliche Hilfe*

zu erkennen und fragte ihn: „Hast du die Gralsburg gefunden?“ Verzweifelt rief Parzival: „Nein, Sigune! Sprich nicht mehr vom Gral! Er hat mir bisher nur Trauer und Schmerz gebracht. Ich habe meine Frau verlassen, um meine Mutter zu suchen. Doch ich fand an ihrer Stelle den Weg in die Gralsburg. Wegen meiner Dummheit musste ich von dort wieder fort und jetzt leidet Anfortas durch meine Schuld! Das alles ist noch nicht genug – dein Hass hat mich auch getroffen, Sigune. Dein Fluch hat sich schrecklich erfüllt: Ruhelos zog ich durch die ganze Welt!“ Diese Worte schmerzten Sigune sehr und sie bat: „Verzeih mir, Parzival! Ich nehme in dieser Stunde den Fluch von dir, du hast genug durch ihn gelitten. Aber glaube mir, es musste sein. Wer für den Gral bestimmt ist, den prüft Gott tausendmal härter und schwerer als jeden anderen. Hör nicht auf, den Gral zu suchen, jetzt, wo dich das Leid reifer[1] gemacht hat!“ Parzival lachte bitter und schüttelte den Kopf: „Wie soll ich es schaffen? Ich bin schon durch die ganze Welt geritten. Ich kenne keinen Weg mehr!“ „Gib nicht auf, Parzival! Vielleicht siehst du vor meiner Hütte noch die Spuren, die die Gralsbotin Kundry mit ihrem Maultier hinterlassen hat. Folge ihnen! Wenn du dich beeilst, kannst du sie vielleicht noch finden und mit ihr gemeinsam nach Montsalvat reiten.“ Das ließ sich Parzival nicht zweimal sagen. Er verabschiedete sich schnell von Sigune und ritt den Spuren nach. Doch in dem dichten Wald verlor er sie bald wieder und zog ohne Mut und Hoffnung weiter.

Viele Wochen ritt er so dahin und bemerkte nicht, dass die Welt um ihn herum immer schöner wurde. Der Frühling ließ die Sonne wärmer scheinen und die Blumen begannen zu blühen. Eines Morgens aber war noch einmal Schnee gefallen und es war bitterkalt. Da traf Parzival auf vier Pilger[2], die zu Fuß und trotz der Kälte

1 **reif:** *erwachsen, vernünftig*
2 **r Pilger:** *r Wallfahrer, r fromme Wanderer*

ohne Schuhe durch den Wald liefen. Einer von ihnen trat dicht an Parzival heran und fragte ihn: „Warum ziehst du in Waffen dahin und lässt dein Pferd mit seinen Eisenhufen den Boden zertreten? Weißt du nicht, welcher Tag heute ist?“ Und als Parzival nur leise den Kopf schüttelte, fuhr er fort: „Heute ist Karfreitag[1], da darf man die Erde nur mit sanftem Fuß berühren, denn sie hat Christi Blut aufgenommen, als man ihn ans Kreuz schlug. Oder weißt du das alles nicht? Bist du ein Heide, dass du an diesem Tag Waffen trägst, an dem man keiner Kreatur, egal ob Mensch oder Tier, Schmerz zufügen darf? Komm mit uns, vielleicht vergibt dir Gott dann dein Benehmen!“ Parzival schüttelte aber nur wieder den Kopf, dankte dem Mann für seine Belehrung und ritt fort. Verwundert sah ihm der Alte nach.

Als Parzival wieder allein war, hob er die Hände gegen Himmel und rief voll Schmerz: „O Gott, wenn es dich gibt und du so gnädig bist, wie alle sagen, und wenn heute dein Tag ist, so hilf endlich auch mir! Ich kann nicht mehr weiter! O Gott, wenn es dich gibt und du so mächtig bist, dann lenke von jetzt ab mein Pferd! Ich gebe mich ganz in deinen Willen.“ Nach diesen Worten hängte er seinem Pferd die Zügel um den Hals und ließ es ziehen. Und tatsächlich brachte es ihn mit wenigen raschen Schritten auf eine blühende Wiese, an deren Rand die Hütte des Einsiedlers Trevrizent stand. Parzival erkannte die Hütte wieder, in der er die Unschuld von Frau Jeschute geschworen hatte. Trevrizent kam ihm entgegen und sagte ernst: „Ich habe dich lange erwartet, nun bist du endlich da. Steig vom Pferd, leg die Waffen ab und bade dort in der heiligen Quelle!“ Parzival gehorchte schweigend. Dann saß er neben dem Einsiedler auf der Bank und zum ersten Mal seit Jahren wurde ihm wieder ein wenig leichter ums Herz. Er ahnte, dass es von hier aus nicht mehr weit bis zur

1 **Karfreitag:** *Tag der Kreuzigung Christi*

Gralsburg sein konnte. Als er hörte, dass er fünfeinhalb Jahre durch die Welt gezogen war, rief er aus: „Wie viel Siegesruhm habe ich in der Welt gewonnen. Aber Gott half mir nicht und ließ mich in die Irre gehen[1]!" Trevrizent hörte ihm traurig zu, dann wollte er ihm helfen Gott wieder lieben zu lernen und erzählte Parzival alles über den Heiligen Gral und Anfortas Wunde, die erst heilen würde, wenn ein Ritter kommen und die erlösende Frage stellen würde. Da schlug Parzival die Hände vor sein Gesicht und weinte: „Ich war beim Gral und fragte nicht! Nun hat mich Gott verlassen!" Aber der Einsiedler entgegnete: „Das hat er nicht. Im Gegenteil: Du bist jener erwählte Ritter, aber du musst aufhören um den Gral zu kämpfen. Wer kämpft, lädt immer mehr Schuld auf sich, auch wenn er um den Gral kämpft. Wer sich nach Montsalvat sehnt, kommt nie dorthin! Ganz ruhig musst du werden und vertrau dich Gott an, so wirst du plötzlich am Ziel sein! Siege mit der Waffe bringen dir Ruhm bei König Artus und seinen Männern, aber sie bringen dich nicht nach Montsalvat! Du hast schon genug Schuld auf dich geladen. Dein Wunsch, Ritter zu werden, brachte deiner Mutter den Tod und Herr Ither, den du wegen seiner Rüstung tötetest, war dein Onkel!" Parzival griff sich mit beiden Händen ans Herz: „O Mutter! Und du Herr Ither! Warum lebt ihr nicht mehr? Warum musste ich so furchtbare Schuld auf mich nehmen?" Trevrizent antwortete: „Das ist ein großes Geheimnis. Ich will es dir erklären: Wer nie sündigt, kennt die Sünde nicht. Und wer die Sünde nicht kennt, der kann sie nicht vermeiden[2] oder in Gutes verwandeln. Wem nie die Reue[3] das Herz verbrannte, der bleibt unwissend. Gott aber will, dass wir sehend und wissend werden, darum schickt er

1 **in die Irre gehen:** *den falschen Weg nehmen*
2 **vermeiden:** *aus dem Weg gehen, nicht machen*
3 **e Reue:** *seelischer Schmerz, Kummer*

uns in die Schule der Schuld. Es ist eine harte Schule und Gott ist ein sehr strenger Lehrer. Hörst du seine Stimme in deinem Herzen? Danke ihm für dein Leid, denn daraus kann Mitleid entstehen, der größte Schatz auf der Welt. Als du den Fischer trafst, war dein Herz noch wie Stein, sonst hättest du ihn gefragt. Nun, denke ich, ist es weich geworden." Nach langem Schweigen bat Parzival: „Ich will zu Anfortas, zeig mir den Weg!" Aber Trevrizent antwortete: „Du wirst ihn von selbst finden, wenn deine Zeit gekommen ist. Bleib noch eine Weile bei mir, ruh dich aus, noch steht dir eine letzte Prüfung bevor, auch muss ich dir noch viel erzählen!" So blieb Parzival vierzehn Tage bei ihm und erfuhr, dass seine Mutter Herzeloyde, der Einsiedler Trevrizent, Anfortas und die Königin Repanse Geschwister waren. Als Parzival seinen Onkel verließ, fragte er: „Soll ich nun ein Ritter bleiben oder ein Mönch werden so wie du, wenn ich Gottes Gnade bekommen will?" Trevrizent antwortete: „Deine Bestimmung ist das Rittertum, aber du sollst kein Artusritter sondern ein Gralsritter werden. Bisher kämpftest du gegen andere und besiegtest sie, jetzt bekämpfe und beherrsche dich[1] selbst! Bisher war das Schwert deine Waffe, nun soll es die Geduld sein. Statt dich zu rächen, hilf im Namen Gottes und beschütze das Recht. Beständigkeit und maßvolle Enthaltsamkeit sollen dein Leben bestimmen."

Wie Parzival mit seinem Bruder Feirefiz kämpft und Gralskönig wird

Gestärkt und mit friedlichem Herzen ritt Parzival fort. Er ritt allein durch den Wald seinem schwersten Kampf entgegen. Plötzlich stand der furchtbarste Gegner vor ihm, den er je finden sollte. Es war ein Heidenfürst, des-

1 **sich beherrschen:** *sich kontrolliert verhalten*

sen Rüstung ganz mit Diamanten und harten Edelsteinen[1] besetzt war. Auf dem Helm war eine Schlange aus Juwelen, die ihren Träger unverwundbar machte. Kaum hatte er Parzival erblickt, da begann er schon den Kampf. Der Boden bebte von ihrem furchtbaren Zusammenstoß, aber beide saßen noch auf ihrem Pferd. Das hatte der Heide noch nie erlebt, er hatte immer mit dem ersten Stoß gesiegt. Er stieg vom Pferd und sie kämpften mit ihren Schwertern auf dem Boden weiter. Der fremde Ritter rief laut den Namen seines mächtigsten Landes, da rief Parzival den Namen der Stadt Pelrapeire, in der seine geliebte Frau lebte. Kondwiramur hörte den Ruf über neun Länder weit mit ihrem Herzen und wusste, dass ihr Mann ihre Hilfe brauchte. Ihre Gedanken stärkten Parzival. Er schlug mit seinem Schwert nach und nach alle Juwelen von der Rüstung seines Gegners, aber als er weit ausholte, um seinem Gegner Helm und Kopf zu spalten[2], zerbrach Herrn Ithers Schwert. Damit war Parzivals Leben verloren – er war zum ersten Mal besiegt und stand in der Hand seines Feindes. So wurde der Mord an Herrn Ither gerächt!

Der Heide aber sagte: „Du bist ein großer Held. Wäre dein Schwert nicht zerbrochen, hättest du mich besiegt. Ich biete dir Waffenruhe an. Komm, setzen wir uns und nenne mir deinen Namen." Parzival dachte nicht daran: „Wenn ich Euch meinen Namen nenne, bin ich besiegt! Ich sage ihn niemals!" Der fremde Fürst lächelte: „Gut, so will ich dir meinen Namen zuerst sagen, es macht mir nichts aus. Ich bin Feirefiz von Anjou." Parzival war erstaunt: „Von Anjou? Diesen Namen habe ich von meinem Vater bekommen. Aber in einem fernen Land soll mein Bruder wohnen, wenn er auch von einer anderen Mutter ist. Ich weiß auch, wie ich ihn erkennen kann. Nehmt Euren Helm ab, ich will nur Euer Gesicht

1 **die Edelsteine:** *die Juwelen*
2 **spalten:** *in zwei Teile schlagen*

sehen." „Sag mir, wie müsste mein Gesicht aussehen, wenn ich dein Bruder aus dem Heidenland wäre?" Parzival antwortete: „Wie beschriebenes Pergamentpapier: voll schwarzer und weißer Flecken!" Da rief der Fremde: „Ich bin es! Auch ich bin Gachmurets Kind!" Er nahm seinen Helm ab und zeigte sein schwarz-weißes Gesicht. Die beiden fielen sich in die Arme und schlossen mit brüderlichen Küssen für immer Frieden. Feirefiz erzählte seinem Bruder von seiner Heimat, seiner Mutter Belakane und seinem großen Reichtum. Der Grund für seine Reise ins Abendland war aber sein Wunsch, den Heiligen Gral zu finden. Da stöhnte[1] Parzival: „Versuch nicht ihn zu finden. Ich suche ihn seit vielen Jahren und kann dir nicht sagen, wie viel Leid ich erfahren und unwissend Schuld auf mich geladen habe, es ist zu viel! Kehr in deine Heimat zurück! Hier bist du in einem Land, in dem du alles verlieren musst, damit dir Gott seine Gnade zeigt. Glaub mir, Feirefiz, verlange nicht nach dem Gral!" Aber Feirefiz wollte nichts von Abschied wissen, er wollte bleiben und sich taufen lassen, denn seine Mutter glaubte, dass Gachmuret bei ihr geblieben wäre, wenn sie keine Heidin gewesen wäre. Dafür wollte er Parzival große Schätze und zwei seiner Länder geben. Parzival aber antwortete: „Behalte deine Schätze und Länder! Die Taufe gibt dir jeder Priester gern. Lass uns zu König Artus reiten, sein Lager ist nicht weit. Dort sollst du sie bekommen." Wenig später kamen sie ins Lager und wurden mit großem Jubel empfangen. Gawan, der Parzival so lange gesucht hatte, kam ihnen entgegen. Vor Freude weinend umarmte er den Freund und gab ihm das Gralsschwert mit dem Rubingriff zurück. „Du hast gekämpft und gelitten wie kein anderer auf dieser Erde, dein Rittertum ist heller als unseres. Ich bin nicht würdig dieses Schwert länger zu tragen." Als ihm Gawan auch den Tugendzweig geben wollte, nahm ihn Parzival nicht an: „Behalte und

1 **stöhnen:** *mühsam atmen, seufzen*

trage ihn zum Andenken[1] an mich." Auch König Artus und die Königin begrüßten Parzival und seinen Bruder.

Plötzlich wurden alle Ritter unruhig, auf einem prächtig geschmückten Maultier näherte sich die Gralsbotin Kundry, sie trug einen herrlichen Mantel, der überall mit goldenen Tauben bestickt war. Die Taube war das Wappentier[2] des Heiligen Grals. Vor Parzival blieb sie stehen, stieg ab, warf sich ihm zu Füßen und berührte mit Stirn und Händen den Boden. „Vergib mir, dass ich damals so böse Worte gesagt habe! Dein Name stand heute in leuchtenden Buchstaben auf dem Gral. Du bist durch den Willen des Höchsten als König nach Montsalvat berufen. Beeil dich und komm zu Anfortas in die Burg, bevor es zu spät ist. Doch musst du das Gesetz befolgen, das befiehlt: 'Komm nicht ohne Bruder zum Gral!' Wähle den Richtigen! Heute noch sollst du Kondwiramur und deine Söhne, die Zwillinge Lohengrin und Kardeis sehen! Sie wurden geboren und wuchsen auf, während du durch die Welt irrtest." Da half Parzival der Frau aufzustehen und ihr hässliches Gesicht erschien ihm plötzlich schöner und weiser als jedes andere. Noch nie hatte er in so schöne Augen geblickt. Er rief: „Gesegnet[3] sei der Mund, der mir diese Nachricht bringt. Gesegnet sei der Fluch, der mich von hier fort über Länder und Meere trieb. Groß ist Gottes Güte und herrlich seine Gnade, da er mir nach so viel Leid so viel Glück schenkt!" Gemeinsam mit seinem Bruder Feirefiz folgte er Kundry nach Montsalvat. Auf ihrem Weg kamen sie an Sigunes Hütte vorbei. Sigune war gestorben und ruhte nun neben ihrem Verlobten.

Keiner sprach ein Wort, tiefer Frieden und Glück erfüllte ihre Herzen. Auf einmal sah Parzival den See Brumbane, die Felsen und schließlich standen sie vor der

1 **s Andenken:** *e Erinnerung*
2 **s Wappentier:** *s Symbol (auf Wappen und Fahne)*
3 **gesegnet:** *von göttlicher Gnade gezeichnet*

Zugbrücke und sahen die Gralsburg auf ihrem Felsen. Freudenhörner ertönten, die Glocken, die seit dem Tag von Anfortas Verwundung geschwiegen hatten, begannen zu läuten. Der neue Gralskönig zog ein!

Als Parzival die Halle betrat, sah er ein schmerzliches Bild. Anfortas, der seit vielen Wochen den Gral, der das Leben verlängert, nicht mehr sehen wollte, lag mit großen Schmerzen auf seinem Bett und flehte Gott um seinen Tod an. Parzival ging mit festem Schritt auf den Leidenden zu, berührte ihn sanft an der Schulter und fragte: „Was fehlt dir, Onkel?" – Im selben Moment schloss sich die Wunde und Anfortas hatte keine Schmerzen mehr. Er stand auf, sein Gesicht strahlte vor Freude. Er sank vor seinem Neffen aufs Knie und begrüßte den neuen Gralskönig. Parzival half ihm auf und umarmte ihn: „Gott hat dich durch meine Frage gesund gemacht und deine Seele befreit. Das Licht, das den Aposteln zu Pfingsten geschenkt wurde, lenkt auch uns."

Anfortas trat zu den Rittern, zu denen er ab nun wieder gehörte, und Parzival nahm den Sitz des Königs ein. Die Tür öffnete sich und Königin Repanse kam in feierlicher Prozession mit ihren vierundzwanzig Jungfrauen in den Saal. Sie trug den Gral, dessen Licht so hell strahlte wie noch nie.

Doch seltsam, Feirefiz, der schwarz-weiße Heide sah ihn nicht. Er sah jedoch die Königin und ihre Schönheit, er bemerkte, dass sie etwas trug, aber was es war, sah er nicht. Er war traurig. Parzival aber erklärte ihm, dass er den Gral erst nach seiner Taufe sehen könnte. Da rief Feirefiz nach seinen Waffen und wollte um die Taufe kämpfen. Die Ritter lächelten und sagten, dass er Geduld haben müsse. Am nächsten Morgen wurde er in den Gralstempel geführt und ein alter Priester fragte ihn, ob er von nun an weder an andere Götter, noch an die Astrologie oder daran, dass alles vorherbestimmt sei, glauben würde. Feirefiz versprach es, der Priester nahm den Gral, hielt ihn gegen Himmel, er füllte sich mit Wasser, das er Feirefiz über den Kopf schüttete – und im selben Moment konnte dieser den Gral sehen.

Inzwischen war auch Kondwiramur, von einer inneren Stimme gerufen und geführt, mit ihren Söhnen und einigen Rittern zu Parzival unterwegs[1]. Sie verbrachte die Nacht genau an der Stelle, an der Parzival, von ihr träumend, die drei Blutstropfen im Schnee betrachtet hatte. Glücklich ritt ihr Parzival entgegen. Von nun an lebten sie gemeinsam in der Gralsburg und ihr Sohn Lohengrin wurde zum Gralsritter erzogen. Sein Bruder Kardeis blieb nicht auf Montsalvat. Als er erwachsen war, übergab ihm sein Vater die Herrschaft über seine drei irdischen[2] Reiche. Kardeis zog nach Anjou und lebte dort als von allen respektierter König.

Feirefiz blieb noch eine Weil in der Gralsburg, dann bat er Königin Repanse um ihre Hand und gleich nach der Hochzeit kehrten sie in den Orient zurück. Dort schenkte ihm Repanse einen Sohn, der den Namen Johannes erhielt. Er wurde ein berühmter Priester, der viele Völker zum Christentum bekehrte[3].

Kondwiramur war nun Gralskönigin. Sie trug die Schale in den Saal, in dem die Ritter versammelt waren. Neues Leben war auf Montsalvat eingezogen. Jahr für Jahr kam die Taube vom Himmel herab und viele Ritter wurden wieder in die Welt geschickt um zu helfen. Niemand durfte die Gralsritter fragen, woher sie kamen und wie sie hießen. Stellte jemand die verbotene Frage, musste der Ritter antworten, aber noch in derselben Stunde musste er nach Montsalvat zurück.

So wollte es der Gral.

1 **unterwegs:** *auf dem Weg*
2 **irdisch:** *auf der Erde, weltlich*
3 **zum Christentum bekehren:** *missionieren*

ÜBUNGEN

Wie Parzival zur Welt kommt, im Wald aufwächst und seine Mutter verlässt

1. Ordne die Namen der Personen chronologisch nach ihrem Vorkommen im Text und erzähl, was du über sie weißt!

Belakane – Artus – Herzeloyde – Gachmuret – Parzival – Feirefiz

a) ....
....

b) ....
....

c) ....
....

d) ....
....

e) ....
....

f) ....
....

2. Welche Adjektive passen zu den Protagonisten?

ruhelos – schön – verliebt – naiv – unglücklich – tapfer – besorgt – egoistisch

a) Parzival: ....
b) Gachmuret: ....
c) Herzeloyde: ....

3. Beantworte die Fragen!

a) Was ist ein Ritter? Wie sieht er aus? Wie lebt er?

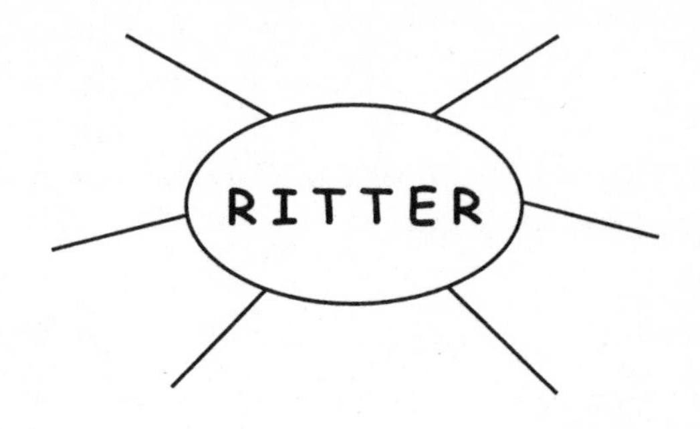

b) Wie und warum möchte Frau Herzeloyde verhindern, dass Parzival je ein Ritter wird?

....

....

....

4. Beschreib Parzivals Begegnung mit den Rittern! Verwende folgende Wörter:

silberglänzende Rüstung – Gott – König Artus – ein Ritter werden – Waffe – Verstand

....

....

....

....

....

....

....

....

5. Welche Ratschläge gibt die Mutter Parzival mit auf den Weg?

....

....

....

6. Vergleiche die Ritter mit Parzival auf seinem Weg zu König Artus!

a) Ritter:
Kleidung: ....
....
Waffen: ....
....
Benehmen: ....
....

b) Parzival:
Kleidung: ....
....
Waffen: ....
....
Benehmen: ....
....

7. Stell dir vor, du bist Parzival oder Frau Herzeloyde. Welche Gedanken beschäftigen dich in der letzten gemeinsamen Nacht? Schreib in der Ich-Form!

....

....

....

Wie Parzival seinen Namen erfährt und die Rüstung des roten Ritters gewinnt

1. Sind folgende Aussagen richtig oder falsch?

		R	F
a)	Die Leute halten Parzival für einen Ritter und behandeln ihn höflich.	☐	☐
b)	Parzival befolgt die Ratschläge seiner Mutter.	☐	☐
c)	Frau Jeschute schenkt Parzival ihren Ring und ihre Spange.	☐	☐
d)	Herzog Orilus bestraft seine Frau schwer.	☐	☐
e)	Im Wald trifft Parzival seine Cousine Sigune.	☐	☐
f)	Ihr Bräutigam ist im Kampf für Parzival gefallen.	☐	☐
g)	Parzival weiß seinen Namen von seiner Mutter.	☐	☐
h)	Sigune zeigt Parzival den Weg zum Mörder ihres Verlobten.	☐	☐
i)	Der rote Ritter ist ein ehrloser Dieb.	☐	☐
j)	Parzival muss König Artus als Knappe und Page dienen.	☐	☐
k)	König Artus schenkt Parzival Pferd und Rüstung des roten Ritters.	☐	☐
l)	Parzival wird ein Artusritter.	☐	☐

2. Korrigiere die falschen Aussagen!

....

....

....

....

....

3. Beschreib Parzivals Verhalten! Welche Fehler macht er? Welche guten und schlechten Eigenschaften zeigt er? Bei seiner Begegnung mit…

a) Frau Jeschute: ....

....

....

b) Sigune: ....

....

....

c) König Artus: ....

....

....

d) dem roten Ritter: ....

....

....

4. Wie empfindest du Parzivals Verhalten? Begründe deine Antwort!

....

....

....

....

....

5. Welches Verb passt zum Nomen?

einen Ratschlag	nehmen
sich auf die Suche	kommen
die Nacht	tun
zum Ritter	befolgen
Freundschaft	tragen
zu Hilfe	schlagen
Leid	schließen
Abschied	machen
zu Grabe	verbringen

Wie Parzival seinen Lehrmeister Gurnemanz findet und wahre Rittertugend lernt

1. Beende die Sätze!

a) Gurnemanz war ein sehr weiser Mann, der ....

....

b) Die Diener konnten sich das Lachen kaum verbeißen, weil ....

c) Am Morgen holte Gurnemanz seinen Schüler ab, um ....

d) Parzival soll nicht immer von seiner Mutter sprechen, da ....

e) Schönheit ist wertlos, solange ....

....

f) Ein Ritter soll immer helfen, wenn ....

....

g) Parzival soll weniger fragen, aber ....

....

h) Liasse errötete, weil ....

....

i) Gurnemanz wurde traurig, als ....

....

2. Ordne zu: was sind gute, was schlechte Eigenschaften?

e Würde – e Untreue – e Kraft – e Schande – r Mut – e Lüge – r Geiz – s Geldverschwenden – e Tugend des Herzens – s Maßhalten – e Ehre – e Neugier – e Geschicklichkeit im Zweikampf

+	–

3. Was erfährst du über die drei wichtigsten Begriffe des ritterlichen Lebens?

a) das Abenteuer (= der Zweikampf): ....

....

....

b) das Maßhalten: ....

....

....

c) die Minne (= der Umgang mit edlen Frauen): .....

....

....

4. Welche Ratschläge könnte ein junger Mensch heute bekommen? Schreib sie auf!

....

....

....

....

....

....

....

....

Wie Parzival die Stadt Pelrapeire aus arger Not erlöst und sich mit Königin Kondwiramur vermählt

1. Finde die passende Fortsetzung!

a) Die Wächter öffneten Parzival das Stadttor erst,...
- ☐ als er seinen Namen nannte.
- ☐ als er ihnen drohte.
- ☐ als er sagte, dass er als Freund komme.

b) Alle Bewohner der Stadt waren blass und mager, ...
- ☐ weil sie an einer schweren Krankheit litten.
- ☐ weil eine Hungersnot herrschte.
- ☐ weil die letzte Ernte sehr schlecht war.

c) Königin Kondwiramur wollte König Klamide nicht heiraten, ...
- ☐ weil er ihren Verlobten getötet hatte.
- ☐ weil sie schon verheiratet war.
- ☐ weil sie ihn nicht liebte.

d) Parzival besiegte den feindlichen Ritter…
- ☐ und tötete ihn.
- ☐ und schickte ihn zu König Artus.
- ☐ und überließ ihn der Königin.

e) Die Schiffe im Hafen…
- ☐ brachten genug zu essen und zu trinken für alle.
- ☐ konnten die Hungernden in ein anderes Land bringen.
- ☐ hatten Waffen geladen.

f) Parzival wünschte…
- ☐ mit Kondwiramur auf Urlaub zu fahren.
- ☐ seine Mutter wieder zu sehen.
- ☐ an König Artus' Hof zu ziehen.

2. Welche Komposita findest du im Text? Schreib sie auf!

r Pass	e Zufuhr	....
r König	r Hof	....
r Abend	e Höhe	e Passhöhe
e Stadt	r Vorrat	....
r Hunger	s Reich	....
e Burg	r Meister	....
r Kaufmann	s Licht	....
e Nacht	r Wunsch	....
e Sonne	e Not	....
s Herz	s Gewand	....
s Lebensmittel	s Tor	....
e Nahrung	s Schiff	....
e Lehre	r Aufgang	....

Wie Parzival, ohne es zu wissen, in die Gralsburg gelangt und aus ihr vertrieben wird

1. **Gib die Worte des Fischers in der indirekten Rede wieder! Verwende dabei den Konjunktiv I!**
„Hier gibt es weit und breit weder Dorf noch Stadt, hier gibt es nur Wald, Wasser und Tiere, wie Gott es am ersten Tag schuf. Doch könnt Ihr eine Burg hier in der Nähe finden – sucht sie! Dort drüben, wo die Felsen zu Ende sind, müsst Ihr Euch nach rechts wenden und Ihr werdet sie vor Euch aufsteigen sehen. Ihr kommt an einen Graben, ruft, dass man Euch die Zugbrücke herablässt. Zögert man, so sagt, dass Euch der Fischer schickt, und man wird Euch einlassen!"

Der Fischer sagte, dass es hier weit und breit weder Dorf noch Stadt gebe, ...

....

....

....

....

....

....

....

....

....

....

....

2. Beschreib die Burg!

a) aus der Ferne: ....

....

....

b) von innen: ....

....

....

3. Beantworte die Fragen!

a) Was geschieht in dem prächtigen Saal?

....

....

....

....

b) Was ist der Heilige Gral? Erzähl seine Geschichte!

....

....

....

....

....

....

c) Was erfährst du über die Wunderkraft des Grals?

....

....

....

d) Wer ist Anfortas und warum ist er verwundet?

....

....

....

....

e) Wie kann Anfortas geholfen werden?

....

....

f) Warum stellt Parzival keine Fragen?

....

....

g) Wie reagiert Sigune auf Parzivals Erzählung?

....

....

h) Wie kann Parzival Frau Jeschute helfen?

....

....

....

4. Was bedeuten die Namen? Finde die richtige Kombination und erkläre die symbolische Bedeutung des Namens für diese Erzählung!

Feirefiz	Ich führe dich zur Liebe.
Parzival	der Kraftlose
Kondwiramur	Buntgesicht
Montsalvat	Spenderin der Freude
Anfortas	Mittendurch
Repanse de Schoye	Berg des Heils

....

....

....

....

....

....

Wie Parzival beinahe ein Artusritter wird und seinen Herzbruder Gawan findet

1. Bring zuerst die Hauptsätze in die richtige Reihenfolge, verbinde dann jeden Satz mit dem passenden Nebensatz!

a) Der Ritter Gawan bemerkte,
b) Die Gralsbotin Kundry näherte sich,
c) Es schneite, …
d) Parzival konnte erst ein Artusritter werden,
e) König Artus versammelte seine Ritter,
f) Parzival dachte an seine Frau,
g) Alle kamen zu Gawans Zelt,
h) Parzival musste noch schwere Abenteuer bestehen,

A) nachdem er versprochen hatte, König Artus treu zu dienen.
B) um Parzival zu sehen.
C) als er die Blutstropfen im Schnee sah.
D) weil er mit ihnen das Pfingstfest feiern wollte.
E) bevor er seine Frau wieder sehen durfte.
F) obwohl es bereits Mai war.
G) dass Parzival nicht kämpfen wollte.
H) während alle fröhlich bei Tisch saßen.

Schreib die passenden Kombinationen auf!

....

....

....

....

2. Beschreib den Ritter Gawan! (Aussehen, Charakter, Taten)

....

....

....

....

....

3. Wer ist Kundry? Beschreib ihren Auftritt und ihre Botschaft!

....

....

....

....

4. Ergänze die fehlenden Verben und Partizipien in Kundrys Rede!

„Du warst in Montsalvat, hast den Fischer in seiner Not ...., aber du hast die erlösende Frage nicht ....! Du hast dort oben .... und willst dich nun bei Herrn Artus zur Ruhe ....? Das ist sicher bequemer als die Gralsburg zu .... Aber dazu hat dir Anfortas sein Schwert nicht .... Du bist .... im Anblick des Grals zu .... und sein Licht über alle Reiche der Erde zu ...., was aber .... du? Statt nach der heiligen Schale zu ...., ... dir der mit Wein gefüllte lustige Becher von König Artus!"

5. Erzähl von den Ereignissen an diesem Pfingstfest! Schreib aus der Perspektive von Parzival oder Gawan. Was hast du erlebt, was gedacht? Schreib in der Ich-Form!

....
....
....
....
....
....
....
....

Wie Gawan das Wunderschloss von Klingsors Zauber befreit und den Tugendzweig gewinnt

1. Beschreib das Schloss der Wunder!

....
....
....
....

2. Was erfährst du über Klingsor und seinen Zauber?

....
....
....
....
....

3. **Was erlebt Gawan im Schloss der Wunder? Ergänze die fehlenden Präpositionen!**

Gawan ging durch viele Säle. Abends kam er .... ein Zimmer .... einem breiten Bett, das war das Wunderbett, ... dem der Fischer gesprochen hatte. .... seinen Füßen waren kleine runde Scheiben .... Diamanten befestigt, ... denen es sehr schnell hin- und herrollen konnte. Gawan sprang mitten .... das vorbeirollende Bett. Der Raum war .... großem Lärm erfüllt. Gawan blieb liegen, deckte sich .... der Decke zu und hoffte .... Gottes Hilfe. Plötzlich fiel eine große Menge ...... Steinen .... ihn, während ..... den Wänden Pfeile geschossen wurden. Dann trat ein Bauer .... die Tür, der .... furchtbarer Stimme rief: „........... mir habt Ihr nichts zu befürchten, doch sollt Ihr nicht mehr lange .... Leben bleiben!" .... nächsten Moment sprang ein riesiger Tiger .... das Bett zu. Gawan wusste, dass es nun .... Leben und Tod ging. .... letzter Kraft stieß er der Bestie das Schwert .... den Körper. Der Tiger sank tot .... Boden.

4. **In diesem Text gibt es vier inhaltliche Fehler. Finde und korrigiere sie!**

....

....

....

....

5. Beantworte die Fragen!

a) Was ist der Tugendzweig und wozu dient er?

....

....

....

....

....

b) Wie verläuft das Wiedersehen zwischen Gawan und Parzival?

....

....

....

....

....

....

....

....

6. Was bedeutet...

a) der Zauber wird gebrochen: ....

....

b) es trifft jd. tief ins Herz: ....

....

c) sein Leben wagen: ....

....

d) die Waffen strecken: ....

....

e) ein Fluch liegt auf jd.: ....

....

Wie Parzival am Karfreitag zum alten Einsiedler Trevrizent kommt und seine weisen Lehren hört

1. Ordne die Sätze und Satzteile zu einer Zusammenfassung!

a) Parzival ist entsetzt darüber,
b) Wenn Parzival lernt, sich selbst zu beherrschen,
c) trifft er Sigune wieder, die den Fluch von ihm nimmt.
d) dass Gott ihn deshalb verlassen hat. Aber Trevrizent
e) An einem Karfreitag kommt Parzival
f) Viele Jahre reitet Parzival durch die Welt
g) der ihm alles über den Heiligen Gral erzählt.
h) wie viel Schuld er auf sich geladen hat. Er ist überzeugt,
i) Nur wer sündigt, lernt die Reue und das Mitleid kennen.
j) wird er auch den Weg zum Gral finden.
k) erklärt ihm das Geheimnis:
l) ohne den Weg nach Montsalvat zu finden. Eines Tages
m) zu der Hütte des Einsiedlers Trevrizent,

Schreib die richtige Reihenfolge auf!

f	☐	☐	☐	☐
☐	☐	☐	☐	☐
☐	☐	☐		

2. Beantworte die Fragen!

a) Welche Bedeutung hatte der Karfreitag? Welche Ge- und Verbote gab es?

....

....

....

....

....

b) Welche Schuld hat Parzival im Lauf der Erzählung auf sich geladen? Warum? Wie wirkte sich sein Verhalten auf die anderen aus?

....

....

....

....

....

....

c) Wozu kann Schuld gut sein?

....

....

d) Was unterscheidet einen Artus- von einem Gralsritter?

Artusritter: ....

....

....

....

Gralsritter: ....

....

....

....

3. Welche Tage und Symbole gehören zu welchem christlichen Fest?

a) r Gründonnerstag — Ostern
b) r Heilige Abend
c) der Heilige Geist
d) ein Tannenbaum — Pfingsten
e) r Karfreitag
f) s Ei
g) e Taube — Weihnachten
h) r Christtag

4. Was weißt du über die Bedeutung dieser Feste?

....
....
....
....
....
....
....
....

5. Finde das Gegenteil zu den Nomen und bilde die entsprechenden Adjektive!

a) e Jugend .... jung – alt
b) e Nähe ....
c) e Dummheit ....
d) r Mut ....
e) e Kälte ....
f) s Gute ....
g) e Geduld ....

Wie Parzival mit seinem Bruder Feirefiz kämpft und Gralskönig wird

1. Ergänze die Sätze mit der passenden Person! (3 passen nicht)

Feirefiz – Kondwiramur – Kundry – Parzival

a) .... trug einen Helm, der ihn unverwundbar machte.
b) .... hörte den Hilferuf ihres Mannes.
c) .... Schwert zerbrach.
d) .... und .... waren Geschwister.
e) .... wollte sich taufen lassen.
f) .... gab das Gralsschwert zurück.
g) .... trug einen mit goldenen Tauben bestickten Mantel.
h) .... Name stand auf dem Gral.
i) .... führte sie nach Montsalvat.
j) .... stellte die erlösende Frage.
k) .... hatte keine Schmerzen mehr.
l) .... konnte den Gral nicht sehen.
m) .... war unterwegs nach Montsalvat.
n) .... heiratete Königin ....
o) .... wurde neue Gralskönigin.

2. Ergänze die fehlenden Namen!

....
....
....
....
....

3. Bilde Konditionalsätze und verwende den Konjunktiv II!

a) Dein Schwert ist zerbrochen. Du hast mich nicht besiegt.

Wäre dein Schwert nicht zerbrochen, hättest du mich besiegt.

b) Ich nenne meinen Namen nicht. Ich bin nicht besiegt.

....

....

c) Du bist mein Bruder. Dein Gesicht muss schwarz-weiß gefleckt sein.

....

....

d) Belakane war eine Heidin. Gachmuret ist nicht bei ihr geblieben.

....

....

e) Feirefiz ist nicht getauft. Er kann den Gral nicht sehen.

....

....

4. Beschreib Parzivals Einzug auf Montsalvat!

....

....

....

....

....

....

ANALYSE

1. **Wie unterscheiden sich ritterliche Moralvorstellungen von unseren heutigen?**
   - a) ritterliche Ideale: ....
     ....
   - b) heutige: ....
     ....

2. **Glaubst du, dass diese Erzählung noch eine Bedeutung für die heutige Zeit hat? Begründe deine Antwort!**
   ....
   ....
   ....
   ....

3. **Wer hat heute die Aufgabe, Moral und gute Sitten zu lehren, zu bewahren und zu überprüfen?**
   ....
   ....
   ....
   ....

4. **Welche Ziele verfolgst du? Welche Probleme könnte es für dich dabei geben?**
   ....
   ....
   ....
   ....

Inhalt

• START LEKTÜREN • IN FARBE •

Gaber	ZAZAR
Heizer	ROBIN HOOD
Laviat	NESSY DAS MONSTER
Plank	EINE GEISTERGESCHICHTE
Prantl	DRACULA
Schneider	PETER DER BRONTOSAURIER

• ERSTE LEKTÜREN •

Beaumont	DIE SCHÖNE UND DAS BIEST
Beier	DIE KÖNIGIN MORGANA
Beitat	DIE ZWERGE IM WALD
Beitat	DER KOMMISSAR
Beitat	HERKULES
Dumas	DIE DREI MUSKETIERE
Grimm	ASCHENPUTTEL
Grimm	HÄNSEL UND GRETEL
Hohenberger	SPIEL mit GRAMMATIK und WORTSCHATZ
Koller	DRACULAS FRAU
Laviat	SPIEL MIT DEUTSCHEN Wörtern GRAMMATIK, WORTSCHATZ und LANDESKUNDE
Müller	BARBAROSSA
Müller	DER WEIHNACHTSMANN
Roth	SVEN, DER WIKINGER
Schiller	WILHELM TELL
Schmid	DER GEIST MURFI
Schmidt	GRUSELS HAUS
Schön	DER UNFALL
Schön	FINDE DAS GOLD!
Spyri	HEIDI
Stoker	DRACULA
Wagner	DIE MASKE
Wallace	BEN HUR
Wallace	KING KONG
Wieser	DER PIRAT SCHWARZBART

• SEHR EINFACHE LEKTÜREN •

Ambler	TOPKAPI
Belan	DAS VERHEXTE HAUS
Bell	DER VAMPIR
Bell	HALLOWEEN
Berger	FRIEDRICH I.
Dal	MEUTEREI AUF DER BOUNTY
I. Doyle	DIE MUMIE
A. Doyle	SHERLOCK HOLMES
Grem	ATTILA DER HUNNENKÖNIG
Hohenberger	SPIEL mit GRAMMATIK und WORTSCHATZ
Hohenberger	DIE WALKÜRE
Krause	FRANKENSTEIN GEGEN DRACULA
Laviat	DIE FLUCHT AUS ALCATRAZ
Laviat	SPIEL MIT DEUTSCHEN Wörtern GRAMMATIK, WORTSCHATZ und LANDESKUNDE
Paulsen	ALBTRAUM IM ORIENT EXPRESS
Pichler	BONNIE UND CLYDE
Pichler	DER HAI
Pichler	TITANIC
Plank	FLUCHT AUS AUSCHWITZ
Schön	DAS MONSTER VON GALAPAGOS
Schön	DAS SCHIFF DER WIKINGER
See	WO IST DIE ARCHE NOAH?
See	DIE SCHATZSUCHE
Stevenson	DR. JEKILL UND MR. HYDE
Straßburg	TRISTAN UND ISOLDE

• VEREINFACHTE LESESTÜCKE •

Beitat	DAS AUGE DES DETEKTIVS
Beitat	DIE GESCHICHTE VON ANNE FRANK
Beitat	GESPENSTERGESCHICHTEN
Beitat	SIEGFRIED HELD DER NIBELUNGEN
Beitat	TILL EULENSPIEGEL
Berger	IN DER HAND SCHINDLERS
Brant	DAS NARRENSCHIFF
Brentano	RHEINMÄRCHEN
Busch	MAX UND MORITZ
Gaber	DAS MONSTER VON BERLIN
Goethe	FAUST
Grimmelshausen	SIMPLICIUS SIMPLICISSIMUS
Grund	DIE MUMIE
Grund	DRACULAS ZÄHNE
Heider	VERSCHWUNDEN IN OST-BERLIN
Herrig	DIE PRINZESSIN SISSI
Hoffmann	STRUWWELPETER
Hohenberger	SPIEL mit GRAMMATIK und WORTSCHATZ
Kopetzky	DAS BERMUDADREIECK
Laviat	DER ABSTURZ ÜBER DEN ANDEN
Laviat	SPIEL MIT DEUTSCHEN Wörtern GRAMMATIK, WORTSCHATZ und LANDESKUNDE
May	WINNETOU
Prantl	PEARL HARBOR
Raspe	BARON MÜNCHHAUSEN
Raupl	ROMMEL DER WÜSTENFUCHS
See	FLUCHT AUS SING-SING
Shelley	FRANKENSTEIN
Schneider	DIE SCHLACHT VON STALINGRAD
Schneider	EXODUS

• LEKTÜREN OHNE GRENZEN •

Bürger	DIE SCHLACHT UM ENGLAND
Esterl	HALLOWEEN
Fontane	EFFI BRIEST
Hassler	AMISTAD
Eschenbach	PARZIVAL
Hoffmann	DIE ELIXIERE DES TEUFELS
Hohenberger	SPIEL mit GRAMMATIK und WORTSCHATZ
Kafka	DAS SCHLOSS
Kafka	DER PROZESS
Keller	ROMEO UND JULIA AUF DEM DORFE
Laviat	BEN HUR
Laviat	SPIEL MIT DEUTSCHEN Wörtern GRAMMATIK, WORTSCHATZ und LANDESKUNDE
Laviat	TIROLER SAGEN
Meyrink	DER GOLEM
Wagner	DER RING DES NIBELUNGEN

• VERBESSERE DEIN DEUTSCH •

Büchner	LEONCE UND LENA
Canetti	DIE BLENDUNG
Chamisso	PETER SCHLEMIHLS...
Eichendorff	Aus dem LEBEN eines TAUGENICHTS
Ende	MOMO
Goethe	DAS MÄRCHEN
Goethe	DIE LEIDEN DES JUNGEN WERTHER
Grimm	AUSGEWÄHLTE MÄRCHEN
Grimm	DEUTSCHE SAGEN
Hauff	ZWERG NASE
Hoffmann	DER GOLDENE TOPF
Hoffmann	SPIELERGLÜCK
Kafka	DIE VERWANDLUNG
Kafka	IN DER STRAFKOLONIE
Keller	DIE DREI GERECHTEN KAMMACHER
Lessing	FABELN UND ERZÄHLUNGEN
Lorenz	SALOMOS RING
Musil	DIE VERWIRRUNGEN DES ZÖGLINGS TÖRLEß
Rilke	DIE LETZTEN
Schiller	WILHELM TELL
Schnitzler	DIE TOTEN SCHWEIGEN
Storm	IMMENSEE
Tieck	DER BLONDE ECKBERT...
Wedekind	DAS OPFERLAMM

• TASCHENBÜCHER •

Böll	DAS BROT DER FRÜHEN JAHRE
Gotthelf	DIE SCHWARZE SPINNE
Heyse	L'ARRABBIATA...
Hoffmann	MÄRCHEN
Kleist	DIE MARQUISE VON O...
Lessing	EMILIA GALOTTI
Lessing	NATHAN DER WEISE
Mann	DER TOD IN VENEDIG
Roth	HIOB
Stifter	BERGKRISTALL

VERTRIEB MEDIALIBRI • VIA IDRO 38, 20132 MAILAND • ITALIEN • TEL. 02 27207255 • FAX 02 2567179